Antonio Pérez Pierret

Obra Poética

Antonio Colberg Pérez
Editor

EDUPR

EDITORIAL DE LA UNIVERSIDAD DE PUERTO RICO

Primera edición, 1998
©1998, Universidad de Puerto Rico
Todos los derechos reservados según la ley

Catalogación de la Biblioteca del Congreso
Library of Congress Cataloging-in-Publication Data

Pérez Pierret, Antonio, 1885-1937.
   [Poems]
   Antonio Pérez-Pierret : obra poética / Antonio Colberg Pérez,
editor. -- 1. ed.
     p. cm.
   Includes bibliographical references.
   ISBN 0-8477-0318-5 (pbk. : alk. paper)
   I. Colberg Pérez, Antonio. II. Title.
PQ7439.P35A17 1998
861--dc21   98-11359
                                        CIP

Tipografía: Marcos Pastrana Fuentes
Portada: José María Seibó

Impreso en los Estados Unidos de América
Printed in the United States of America

EDITORIAL DE LA UNIVERSIDAD DE PUERTO RICO
PO Box 23322
San Juan, Puerto Rico 00931-3322

Administración: Tel. (787 250-0550 Fax (787) 753-9116
Dpto. de Ventas: Tel. (787) 758-8345 Fax (787) 751-8785

Contenido

Otros poemas (1913-1933)

II. OBRA POÉTICA INÉDITA

III. FRAGMENTOS Y POEMAS INCOMPLETOS

IV. HOMENAJES

Palabras preliminares

Antonio E. Colberg Pérez

Todo libro que se propone justifica la oferta de una explicación. Y si –como en este caso– el libro consiste, en buena medida, en una obra poética antes publicada, se impone con mayor sentido esa explicación. Por fortuna, en este caso se despeja el camino porque se garantizan dos buenas razones para que la obra poética de Antonio Pérez-Pierret salga de nuevo a la consideración del lector.

En primer lugar, hay que señalar la calidad y la importancia de esa obra en nuestro panorama literario. *Bronces*, el libro del poeta que se incluye aquí en su totalidad, con el prólogo de Miguel Guerra Mondragón que lo acompañara en su primera edición, es un poemario de importancia capital en nuestras letras nacionales. Así lo ha valorado, desde su aparición en 1914, la crítica más autorizada: Francisco Manrique Cabrera, Félix Franco Oppenheimer, Enrique Laguerre, Ester Feliciano Mendoza, Josefina Rivera de Álvarez y tantos otros. La presencia de esta edición es un acceso oportuno para una nueva y actualizada valoración de una obra poética que, aunque se ha mantenido algo olvidada, resulta de una índole artística considerable.

Una segunda razón apoya de modo incuestionable esta publicación. A los poemas del texto original de 1914 se habían sumado otras composiciones en una edición del Ateneo Puertorriqueño de 1959, y aún más, en la preparada en 1968 por la Editorial Coquí. Esta última, que incluye textos publicados entre 1913 y 1933 en revistas y periódicos, es el fruto de la recopilación hecha por Ester Feliciano Mendoza. Pero el legado poético de Pérez-Pierret no concluye con esas ediciones. Faltaba lo que este libro recoge: la obra inédita del poeta conservada en los manuscritos que obran en mi poder. Se trata de una cincuentena de escritos que, de por sí, considero que acreditan este libro por constituir el complemento imprescindible para la propuesta de la obra poética íntegra del autor. Este manojo de poemas, sin fechar, diversos en forma y sustancia, van asimismo de la mano de lo antes conocido, abonando para el crítico que le interese el terreno siempre dispuesto para el estudio.

Al margen de esta obra inédita que se integra por primera vez al "corpus" poético del autor, convienen unas observaciones de rigor por las que asumo toda responsabilidad. La primera se refiere al orden de las estrofas en algunos de los poemas comprendidos en el conjunto. No es posible determinar con certeza ese orden estrófico debido a que se encontraban los versos en papeles sueltos y sin indicación alguna sobre su coordinación. Admito, pues, haberlos ordenado con cargo a mi mejor parecer.

La segunda aclaración tiene que ver con haber incluido una sección completa de fragmentos poéticos y poemas incompletos. A mi juicio, una mera lectura de esos trozos de poesía aseguran sin duda la aprobación por haberlos incorporado a lo anterior. Considero que en esos cincuenta y seis jirones de poesía hay mucho de interés: unos temas recurrentes, un lenguaje vigoroso, unas ideas que conforman su sentir y su pensar. Siempre se puede producir el hallazgo en un verso, tal vez en una frase, de un perfil, un aspecto, o una señal que complete y afirme la imagen del poeta.

Creo que procede una nota final de agradecimiento. Le corresponde a Félix Franco Oppenheimer por su generoso consentimiento para que su prólogo crítico a la mencionada antología del Ateneo Puertorriqueño de 1959 sirviese de pórtico excelente a este libro. De igual modo, la Editorial de la Universidad de Puerto Rico, por vía de su director de entonces, el Dr. José Ramón de la Torre, cuenta con mi gratitud por el interés y la diligencia que en todo momento manifestara en lo concerniente a esta publicación.

He aquí, por primera vez, la obra poética total de Antonio Pérez-Pierret, una de las figuras centrales del Modernismo literario puertorriqueño. Me aventuro a señalar que la categoría de esa obra, tal como lo ilustran estas páginas, trasciende las fronteras modernistas y se afirma en el ámbito mayor de la Poesía de siempre.

O, como dijera Evaristo Ribera Chevremont, "cuando hayan pasado las generaciones presentes; cuando todo lo que brilla con falsos brillos haya pasado y solo prevalezca lo de enjundia, la obra de Antonio será aquilatada con precisión y equilibrio; y el bronce de su *Bronces* se transformará en oro".

Bronces líricos en la poesía de Antonio Pérez Pierret*

Félix Franco Oppenheimer

Vida: En la vieja ciudad murada del San Juan de melancólicos faroles soñolientos nace Antonio Pérez Pierret, el 22 de enero de 1885. Su padre, don Antonio Pérez Fernández, es de ascendencia asturiana: su madre, doña Mercedes Pierret, procedente de la vecina Isla de Santo Domingo, de la Plata. Nacido Pérez Pierret en un hogar de refinamientos aristocráticos y holgada posición económica tuvo a su disposición los mejores medios para una educación esmerada. Al cumplir los doce años termina sus estudios primarios en el Colegio de los Escolapios en Santurce. Sus padres, deseosos de proporcionarle la mejor preparación posible, deciden enviarlo a España, donde estudia en la Universidad de Oviedo su segunda enseñanza, obteniendo su bachillerato en artes en el 1899. En esta misma Universidad ovetense estudia leyes, y se gradúa de licenciado en derecho seis años más tarde, en 1905 año en que regresa a Puerto Rico.

Allá, en la ciudad de Oviedo, vive Antonio Pérez Pierret en un ambiente de alta cultura con intelectuales de rango. Forma parte del círculo literario Vetusta, en el cual, Clarín, por el que sentirá Pérez Pierret admiración y aprecio, es el dictador intelectual. Clarín es además uno de sus profesores preferidos. Se cuentan también entre sus maestros más distinguidos, Adolfo Posada, autoridad en derecho internacional; Rafael Altamira, renombrado historiador y pensador

---

* Prólogo de *Antología*, *Cuadernos de Poesía* 7, San Juan, Ateneo Puertorriqueño, 1959, pp. 7-12.

notable, y Melquíades Álvarez, orador parlamentario insigne. Todos ellos dejaron, en el incipiente literato, su huella más esclarecida.

Pero el futuro poeta había también de tener la fortuna de ser, en la Universidad de Oviedo, condiscípulo de jóvenes brillantes como Augusto Barcia y Ramiro de Maeztu, que luego alcanzaron fama y prestigio en las letras y la política españolas. Con ellos, Antonio Pérez Pierret se mantendrá en estrecho vínculo intelectual, alerta a la vanguardia cultural de la península. En ese ambiente de hondas inquietudes intelectuales despierta en Antonio Pérez Pierret su vivo e intenso amor por la literatura y en especial por la poesía. Por eso, al terminar sus estudios legales, acaso, por tener una visión más abarcadora del mundo de la cultura viaja por Inglaterra en compañía de Ramiro de Maeztu relacionándose con los grandes escritores ingleses del momento.

A su regreso a Puerto Rico, revalida y entra a formar parte del Bufete del Lic. Antonio Álvarez Navas, español que goza en la Isla de gran reconocimiento como abogado en ese entonces. Pero siendo el ejercicio de las leyes menester incompatible con su temperamento sedentario y apacible abandona esta profesión para dedicarse a las actividades financieras y a la construcción de preciosos chalets que aún hoy se pueden ver en las zonas residenciales del Condado y Miramar de Santurce. En 1909 el poeta se casa con doña María Aboy y Longpré, de cuyo matrimonio nacen dos hijas: María Antonieta y Gloria.

Al frecuentar ocasionalmente Antonio Pérez Pierret las tertulias de La Mallorquina, a las que asistían los intelectuales y políticos más connotados de la época en Puerto Rico, conoce a Luis Llorens Torres, el gran corifeo de las nuevas tendencias de renovación lírica. Será a instancias de Llorens Torres que Pérez Pierret publica sus primeros poemas, los cuales tienen la aceptación general y el elogio de la crítica. La euforia creadora crece y lleva al novel portalira a publicar sus versos en los periódicos y revistas más importantes como *Gráfico*, *Puerto Rico Ilustrado*, *Revista de las Antillas*, *Idearium*, etc. Este ascendente entusiasmo creador culmina al ser premiados, en el Certamen del Ateneo y Sociedad de Escritores y Artistas, el 31 de enero de 1914, sus poemas "Vasco Núñez de Balboa" y "Mare Nostrum". Este magnífico soneto, "Vasco Núñez de Balboa, Diálogo de Razas", según afirma Eugenio Astol, uno de sus biógrafos, se halla esculpido en la base del monumento al notable descubridor y explorador español, erigido en la ciudad de Panamá. Sin duda alguna, este poema síntesis del ideal de hispanidad del poeta lo moverá a publicar su libro *Bronces*, 1914, el cual edita como su tercer tomo, la Biblioteca Americana, adscrita a la *Revista de las Antillas*. La obra aparecerá con un magnífico prólogo de Miguel Guerra Mondragón, hombre de gran cultura, traductor de Oscar Wilde y acaso, uno de los más genuinos representantes de la prosa modernista en Puerto Rico.

Aunque el libro *Bronces* es recibido con unánime aplauso por la crítica del país no nos explicamos a qué circunstancias se debió el silencio del poeta y su ida, en ese mismo año, 1914, a la ciudad de New York, donde habrá de residir durante ocho años. En la ciudad de New York, el poeta representará la *Revista de las Antillas* y será a su vez a manera de diplomático y voz cimera de la intelectualidad isleña. Regresará a Puerto Rico para el año de 1922.

En 1930, al graduarse de Escuela Superior su hija María Antonieta, el poeta desea premiarla llevándola a Europa. En seis meses que dura su estadía en el extranjero recorre trece países. Visita a España y vuelve a su Oviedo de estudiante tan lleno de recuerdos. Allí, saluda a sus viejas amistades en la Universidad.

A su regreso a Puerto Rico continúa sus actividades de constructor que combina con sus tertulias en La Mallorquina. Lector incansable se interesa en este momento por los estudios metapsíquicos. Ahora, su gran interés será el más allá. Se hace espiritista y con Luis Marcano y Antonio Santaella, autores de un libro sobre esta materia, se asocia y discute sobre estos problemas. Nos cuenta su hija María Antonieta que una semana antes de morir su padre, había estado, de sobremesa, hablando de su muerte, asegurando que sus días estaban contados.

En una crónica publicada en *El Mundo*, el poeta E. Ribera Chevremont nos dice: "Recuerdo una tarde de octubre en Aibonito. Yo estaba con él, en su quinta de rosas y eucaliptos. Cerca corría un arroyo con cristalino rumor. Era fresco el aire y en todo había paz. Y él me habló de la muerte. Le obsesionaba el tema grato a Leopardi. En enero del año próximo caía el hermano recio, dejándonos una luz: su poesía".

Y el poeta de gallarda figura, cuya gran preocupación por la soledad y la muerte habían sido constantes sombrías de su quehacer poético, sin antes en ningún momento haber padecido afección cardíaca alguna, muere de un ataque al corazón, el 15 de enero de 1937, en la ciudad de San Juan de Puerto Rico.

Temas: El momento en que Antonio Pérez Pierret publica su libro *Bronces*, es de marcada agitación política y de entusiasta renovación lírica. Aún estaban en discusión los graves problemas que trajo consigo el cambio de soberanía a la Isla. Dos bandos habían surgido: uno, en simpatía con el nuevo régimen, defiende la anexión; el otro: yendo por los fueros de la dignidad nacional, desea la autonomía. Se asume una actitud de severa crítica, ante la situación prevaleciente y se trata de buscar solución digna. Hay honda preocupación por una política de afirmación en los valores más auténticos de la raza. Se estudia nuestro pasado, nuestra historia. Y con el propósito de patentizar y rescatar nuestra personalidad se funda *Idearium*, revista que por sus ideales nos recuerda la generación del '98 español. La prosa que se escribe es fuerte, combativa, polémica, mientras que la poesía tendrá tendencias a lo comprometido interesándose por lo telúrico y la tradición.

Entre los prosistas de mayor relieve de ese momento en nuestra Isla se encuentran Luis Samalea Iglesias, que escribe sobre temas sociológicos y literarios; Enrique Lefebre que hace crítica literaria de afirmación insular e hispánica; Cristóbal Real, que aunque no es nacido en Puerto Rico, presta su concurso y esfuerzo a nuestras letras al fundar con su hermano, Romualdo el *Puerto Rico Ilustrado*, vocero de expresión múltiple; Rafael Ferrer, fino estilista que en sus *Perfiles* nos presenta nuestros hombres de valía; Miguel Guerra Mondragón, de gran vigor renovador que en gran parte aclarará los ideales creacionales de su generación; Luis Llorens Torres, poeta y prosista magnífico, que velando por la conciencia espiritual de su pueblo escribe libros de afirmación patria como *El Grito de Lares* y *Lienzos del solar*, y sobre todo, Nemesio R. Canales, por su actitud, nuestro Ángel Ganivet, mordaz y sincero, que en sus *Paliques* caló en nuestro hondón nacional señalando nuestros defectos y virtudes para una mejor orientación.

Surge también para este momento un grupo de poetas que tomando el banderín de la defensa de lo nuestro escriben una poesía de honda raíz criollista e hispánica. Entre los poetas de ese instante que se interesan por la tradición y la intrahistoria tenemos a Virgilio Dávila, que con sabor a la tierra se expresa en sus libros *Patria, Viviendo y amando,* y en muchos de los poemas que luego formaron parte de su aromoso poemario a tierra y ambiente nuestro *Aromas del terruño,* y principalmente su *Pueblito de antes,* en el que nos ofrece una estampa interesantísima de la vida en un pueblo típico puertorriqueño de fines del siglo pasado; Luis Llorens Torres, que escribe sus emotivos poemas "Rapsodia criolla", "Valle de Collores", "Canción de las Antillas", además de su libro *Sonetos sinfónicos,* 1914, en el que encontramos poesías de acento hispánico, antillano, boricua y de descarnada intención política, mientras que Antonio Pérez Pierret cincelará sus sonetos con fervor apasionado, tales sus poemas "Vasco Núñez de Balboa", "La raza", "Mare Nostrum", "América", etc., para ser el poeta forjador del bronce glorioso de la raza, según nos dice el poeta Evaristo Ribera Chevremont.

En este ambiente de exaltación de nuestros valores étnicos, son temas preferidos, Hispanoamérica, las Antillas, Puerto Rico y desde luego, como punto de partida, la añorada madre patria España. De ahí que en gran medida el modernismo puertorriqueño sea bien distinto del hispanoamericano. Aunque a decir verdad hubo ciertamente en Puerto Rico una poesía trasnochada y clorótica, cultivada por unos pocos, pero debido a nuestra especial situación histórica, no tuvo en nuestro medio, ambiente propicio esa modalidad decadentista y externa del modernismo. Los problemas inmediatos existentes en nuestro país, llamaban a una actitud reflexiva que nos hiciese ahondar en nuestras raíces nacionales, en nuestra personalidad más valedera. Esta actitud acaso nos haya salvado y afincado más en lo recóndito de nuestra alma y de nuestra lengua. Es ésa una de las características más singulares que hallamos en nuestro modernismo literario y en especial en la poesía de Antonio Pérez Pierret. Aportación esta muy notoria que hace Puerto Rico al modernismo en América.

De entre los prosadores y poetas que maduraron su personalidad alrededor de la *Revista de las Antillas,* Luis Llorens Torres, Rafael Ferrer, Miguel Guerra Mondragón, Gustavo Fort, Nemesio R. Canales, Evaristo Ribera Chevremont, Antonio Nicolás Blanco, es Antonio Pérez Pierret, uno de los de más definidos ideales hispánicos.

En él, el modernismo se da en la expresión de lo auténtico español, sin regodeos retóricos. Y como acertadamente nos dice el profesor Enrique A. Laguerre, Antonio Pérez Pierret, vino a ser, "símbolo de hispanidad viviente".

Del libro *Bronces* podríamos decir que es mesurada concreción de ese ideal de "hispanidad viviente". En el soneto "La raza", el poeta nos dice: "Opongo a las presentes las glorias del pasado", y en el díptico "El asalto", nos ofrece un ejemplo simbólico del arrojo de los conquistadores españoles, representados en tres héroes que asaltan una ciudadela. En su soneto "Mare Nostrum", el poeta nos confiesa que la vela latina de su tirreme la impulsa el espíritu griego para de esta manera hablarnos del ensueño y del acendrado ideal hispánico. Mientras que en su laureado soneto en octonario, "Vasco Núñez de Balboa, Diálogo de razas", trata el poeta de rescatar del olvido a los héroes que hicieron la proeza de unir dos mares.

El poeta vive hondamente la epopeya de su raza y se siente orgulloso de ella, por eso, cuando nos habla de su pegaso nos dirá que es un anglo-árabe, ágil, hermoso, siempre deseoso de "ávidas azules lejanías".

Aunque el tema de la hispanidad con sus variantes étnicas, sociales y políticas, haya sido el de mayor interés inmediato, a su vez frecuentará el poeta otros temas, que tratará de mano maestra, como el de la muerte, la soledad, la angustia, y el pesimismo y el amor, temas que se darán unidos a una presagiosa nota lúgubre. Pero será el tema de la muerte el que tal vez preocupe más al poeta, pues ya desde su temprana juventud nos dice que, "sano y vigoroso me vislumbro caído". Tan presente estará en el poeta la idea de la muerte que le llevará al extremo de hacer su propio epitafio al sentir cercana la Presentida. En "Estoy solo", el escepticismo confunde de tal suerte al poeta que le lleva a confesar no creer en nada y considerarse a sí mismo como "una mar insondable de infinitos *anhelos*"[sic], mientras que la duda lo conduce a la negación total. ¿Quién es y hacia dónde va?, se pregunta el poeta en su desesperado nihilismo, para pedirle finalmente a la "zarca pupila" la revelación del misterio. En "La dama *presentida*" [sic], el poeta afirma que lo más es el soñar, vivir lo menos. "La dama *presentida* [sic] es la felicidad tras la que marchamos sin alcanzarla nunca pero que a la postre, es alcanzada con la muerte: "es Ella, la que se acerca para no apartarse más".

El poeta cierra magistralmente su libro *Bronces* con un soneto clave: "La esfinge".

> Una ansiedad enorme de Eternidad me llena
> y, sin embargo, siento cómo se va mi vida
> y escucho hacia El misterio mi isócrona caída.
> Tal el constante chorro en el reloj de arena.
>
> Es el galop de un vértigo que nada lo refrena,
> es un ímpetu ciego en una loca huida,
> pero intenta mi mano demorar mi partida,
> afincada a la Esfinge de mirada serena....
>
> ¡La Esfinge en mi desierto jamás ha sonreído!
> ¡Siempre la piedra dura! ¡Siempre el callado acento!
> Y, en las arenas frágiles de mi vida perdido,
>
> la sombra del "Oasis de la Muerte" presiento,
> y sano y vigoroso, me vislumbro caído
> y, cual las hojas secas, a la merced del viento.

Es aquí donde después de mostrarse pesimista, escéptico y hasta negador de toda ciencia, el poeta nos deja ver su descarnada ansiedad de eternidad al darse cuenta de que, indefectiblemente la vida huye gota a gota en la isócrona caída de la arena en el fatídico.

Estética: En la poesía de Antonio Pérez Pierret observamos la asimilación inteligente de las técnicas y módulos de la nueva escuela así como la compenetración y conocimiento de los poetas modernistas mas representativos de ese momento, principalmente de Rubén Darío y Julio Herrera y Reissig, sin olvidar los poetas que motivaron esta renovación allá en la Francia del siglo XIX, como Charles Baudelaire, que a su vez se identifica con Edgar Allan Poe y a quienes tomaron luego como heraldos Paul Verlaine, Stéphane Mallarmé, Jean Arthur Rimbaud, Jules Laforgue, Jean Moréas, etc.

A nuestro juicio, la poesía de Pérez Pierret esta influida por una especie de simbolismo racional que, en principio, le vendrá de Poe y Mallarmé. El poeta trata de realizar una poesía en la que la palabra rebase una intrínseca musicalidad. capaz de traducir lo más incomunicable de la experiencia humana.

En la poesía de Antonio Pérez Pierret la forma esculpida, (a veces da esa impresión), no priva a la intención auténticamente poética, pues en él no hallamos ni verbalismo ni regodeo formal; el temple de ánimo es lo que resalta en su poesía, que las más de las veces está atemperada. Un hermoso ejemplo, altamente significativo, lo es su ya citado soneto "La esfinge", pletórico de originalidad en actitud y modo de revelar lo prístino de la interioridad recóndita. Y es que en ese poema sentimos muy en lo íntimo la fina angustia del poeta.

Otra de las influencias que estará presente en la poesía de Pérez Pierret es la parnasiana, expresada a veces en poemas de exquisitez formal como "Astarté", de gran belleza auditiva, en que la evocación romántica tal parece confundirse en una sinfonía matinal. En este poema el verso está estéticamente trabajado, pero sin doblez retórica ya que está domeñado por una conciencia de aristocracia artística.

Otros poemas hay en el libro *Bronces* que lindan con lo parnasiano, como "Será ella", "Mi pegaso", "Medioeval", "Plegaria", "De otras vidas", etc., que resultan elaborados, pero que en su contenido son ciertamente románticos. Veamos lo que nos dice el propio poeta en su soneto "Mi pegaso", de su actitud creadora:

> Se tiende desbocado por la estrellada esfera
> Mas súbito, lo enfreno de tan brutal manera
> Que –prieto el rendal– vibra entre las manos mías.

En su poesía no encontramos ni extrema frialdad, si excesivo ardor, vibra en ella la emoción contenida, serenamente nerviosa

Simbolismo y parnasianismo son expresiones que se dan en la poesía de Antonio Pérez Pierret en una nueva manera, en un ritmo, logrado en una poesía esencial, trascendente. Por sus temas ideológicos y metafísicos y por su tono, la poesía de este poeta, aunque le tocó vivir en el momento modernista no es propiamente modernista, en ella ya hay atisbos de la poesía del futuro.

De sus poemas dirá el notable prosador del modernismo puertorriqueño, Rafael Ferrer: "son versos linajudos, de toisón y casaca, que entran a los Ateneos, rasurados y brillantes, como Grandes de España" en ellos "campea un aliento renovador y una preparación idiomática extraordinaria".

Estilo: La más alta realización de un poeta descansa en la creación de símbolos, imágenes, símiles, metáforas, que dan mocedad y permanencia vital y artística a la palabra poética. En el libro *Bronces* no hemos hallado rico caudal de estos recursos estilísticos ya que el poeta gusta de dar su mensaje poético en forma casi directa, sin sutilezas expresivas, y, aún siendo en ocasiones confesional, resulta mas bien seco; objetivo, en su recio varonil acento.

La poesía de Pérez Pierret sigue, en líneas generales los metros tradicionales, ateniéndose a las innovaciones implantadas por Rubén Darío. El alejandrino lo usa con la soltura y garbo que le imprimiera el nicaragüense genial; el endecasílabo, goza en sus manos de cierta agilidad novedosa; el eneasílabo, lo emplea en su extenso poema "Cosmos", el cual empieza y cierra con una cuarteta endecasilábica. En este poema el poeta expresa sus preocupaciones espiritualistas con proyecciones cósmicas y esotéricas. Usa también el poeta el verso libre con pleno dominio técnico en poemas como "Me habla Walt Whitman" y "América", que aunque nos parecen un tanto prosaicos, en ellos encontramos, no obstante, consciente dignidad expresiva.

Aunque en el libro *Bronces* de Pérez Pierret no hemos hallado gran novedad métrica, sin embargo, en un soneto suyo, publicado en la revista *Gráfico*, titulado "Buenos días", dedicado al poeta español Eduardo Marquina, a su llegada a Puerto Rico en 1919, encontramos combinaciones métricas notables, pues está compuesto este poema de versos de trece, de diez (dos pentasílabos), de quince (tres pentasílabos), de eneasílabos y dodecasílabos, combinaciones que nos producen efectos musicales de gran efectividad orquestal.

Conclusiones: Del poeta Antonio Pérez Pierret podríamos decir que, si bien es cierto que por su estilo puede situarse y hasta confundirse con los modernistas, por su actitud poética, su intención política e ideológica, no cabe en tal clasificación. En él está presente la mejor tradición lírica española en la evocación sentimental del pasado, afirmada en un dejo de nostálgico matiz intimista.

De él dijo el prologuista, de su libro *Bronces*, Miguel Guerra Mondragón, que "no bebe su poesía en libros sino en la vida", pues "realmente iba hacia la energía poética". Y el crítico y músico, Manuel Martínez Plée, asegura que "Antonio Pérez Pierret es poeta vigoroso, sentimental, un hegeliano, sin pensar en serlo. Heráclito moderno, obsesionado por el espectáculo del universal devenir".

En la poesía de Antonio Pérez Pierret, la lengua es austera, fuerte, marcial a veces, no obstante, nos resulta siempre sencilla, natural, sin dejar por ello de ser refinada, selecta. A nuestro juicio, es Antonio Pérez Pierret uno de nuestros más destacados líricos que en parte malogró el ambiente, y que pudo ser uno de los grandes poetas de América.

Antonio Pérez-Pierret
(1885-1937)

I. Obra poética publicada

BIBLIOTECA AMERICANA.

TOMO III.

CORRESPONDIENTE AL NUMERO DE MAYO,
1914, DE LA "REVISTA DE LAS ANTILLAS."

BRONCES

VERSOS

POR

Antonio Pérez-Pierret.

EDITADO POR LA

Compañía Editorial Antillana

San Juan de Puerto Rico.

El poeta

Miguel Guerra-Mondragón

Difícil es hallar en Hispanoamérica otro ambiente tan desfavorable al divinal cultivo de las bellas artes, como fue el de Puerto Rico durante el siglo diecinueve. Circunstancias hostiles a toda expresión de arte conspiraron a formarlo. La necesidad suprema de organizar una sociedad integrada por elementos étnicos tan heterogéneos, imponíase imperativa: labor de amalgamar y fundir que requería el inmediato concurso de todos, si es que la naciente alma colectiva no había de disolverse y desaparecer por falta de carácter e ideales; y por otra parte, el anhelo de romper obstaculizadoras trabas de libertad y crecimiento espiritual, solicitaba la voluntad de cuantos vivían vida de pensamiento y espíritu en la vieja Colonia. La acción se imponía. No cuadraba el ensueño a las legiones inmigratorias que venían tras la fortuna, ni los dirigentes del país podían volver su actividad intelectual del campo de una política libertadora para encauzarla hacia más amenos lugares de esparcimiento y placer. El comercio y la política dividíanse las actividades del país. Los que llegaron de Europa con el único y deliberado propósito de amasar una fortuna, pasaban sus días sin cuidarse de otra cosa que no fuera aumentar sus montones de oro; mientras que los descendientes de las primeras inmigraciones, conscientes ya de su natural e histórica misión, dedicaban sus tenaces energías y sus espirituales desvelos a afirmar los cimientos de la personalidad puertorriqueña. ¡Noble generación de próceres que sacrificaste vida y fortuna por hacer una patria de una factoría; noble generación perseguida, que en la cárcel y en el destierro lloraste lágrimas de redentor ideal: los nuevos hombres te evocamos siempre con veneración y amor! Concentrada la actividad espiritual del país en la lucha por su emancipación política y moral, vivíamos en cierto aislamiento respecto de los demás pueblos. Las corrientes de allende los mares apenas sí oreaban nuestro ambiente, y escasa o nula era la energía que nuestro espíritu expandía hacia el exterior. Si nada supimos del mundo, éste supo muy poco de nosotros; y viviéramos ignorados por todos, si nuestro inmortal Hostos no hubiera iluminado a todo un continente con los destellos esplendorosos de su genio.

Mas no quiere esto decir que no seamos dueños de una literatura. No habremos escrito su historia crítica, pero la poseemos; y nombres hay en ella que pueden figurar junto a esclarecidos ingenios de Hispanoamérica. Deficiente la educación pública en el país, y sojuzgada la conciencia de los que la recibieron en las aulas de Europa, mal podía el espíritu entregarse al solaz de las bellas artes en medio del dolor angustioso de una patria esclavizada que solicitaba otras energías y actividades de la voluntad. De ahí que la producción literaria del país durante el siglo diecinueve, maculada por las huellas de aquellas luchas, no revele al espíritu en la sosegada contemplación de lo bello, sino al espíritu en acción, en acción continua e intranquila, que sólo abre un breve paréntesis para rimar algún noble quejido o para componer alguna estrofa de artificial diletantismo con que amenizar la lenta modorra espesa de la vida colonial.

Unid a estas razones la no menos poderosa de que el país dependía casi exclusivamente de la artificial literatura española de la segunda mitad del siglo pasado, y por el modelo podréis formar idea cabal de la copia. Cinco o seis nombres, sin embargo, han logrado escapar de la vulgaridad, merced a un instintivo temperamento de artista: espíritus selectos que vieron malogradas sus poderosas facultades en aquel ambiente inimicísimo de todo aletazo espiritual.

* * *

Continuadores de los ideales, si augustos en la política, falsos en el Arte, de la generación de que vengo hablando –que llamaremos generación de 1887, por ser de esta fecha la gloriosa proclamación del derecho a la autonomía insular– quedan todavía algunos dirigentes de la política y, para algunos, de las letras del país. Y al lado de ellos, fruto lozano de ideas nuevas, levántase un grupo de hombres y jóvenes y fuertes, imbuidos del noble espíritu de la moderna cultura. Esta es la generación que llamaremos del siglo XX, porque a principios de este siglo dio muestras de la nueva ideología potente que la anima.

Los hombres del '87, desorientados y fuera de ambiente, insisten en continuar con sus ideales falsos de Arte, cultivando una poesía que llaman *clásica* en oposición a la *modernista* que cultivan los de la generación del siglo XX. Un conocido escritor, a quien me ligan lazos de antigua amistad, impútame a este respecto palabras que jamás he pronunciado. (No me erija estatuas el amigo dilecto, pero tampoco me levante falsos testimonios; que la crítica literaria es tanto más elevada cuando más se ajusta a los cánones de la verdad rigurosa.) Me hace responsable el aludido escritor de haber calificado de clásicos a todos los poetas anteriores a la actual generación; y aduce en probanza de sus asertos un trabajo que recientemente he publicado. En el cual digo: "...nuestra poesía *clásica* es espejo de la más cursi afectación, de la más fría insensibilidad. Clásica, decimos, y no porque tal calificativo en puridad le cuadre, sino por seguir el humor a los que aún se obstinan en así llamar a todo lo que deja el sabor de lo pretérito; lo cual creían conseguir con sólo poner un ingenuo *doquiera* o un estirado adiós a la juventud *ida*, en cualquier poesía o pasaje de mera prosa. Quiere esto decir que la palabra clásico es una simple adulteración entre nosotros; es más bien un mote que un concepto. Si algo hay que por su ausencia brille en nuestro Arte clásico, es lo clásico precisamente, no sólo en el asunto sí que en la forma también. No creo que el más obstinado defensor de nuestro sedicente clasicismo... etc.".

Bien a las claras se ve la ligereza con que ha procedido mi interpelante al hacer tan rotunda afirmación; pues con sólo compulsar aquellas mis palabras y las que ahora se me imputan, podrá verse cuán injustas e infundadas éstas son. Sépalo el escritor amigo: jamás califiqué de clásicos a nuestros antiguos poetas, ni a los del áureo ciclo del Parnaso español. Nunca fue helénica la pedantería; y por sabido hemos que el *bombast* y la vacuidad de los ídolos de la generación del '87 son cosas que hastían aun a los menos refinados. Siempre usé de la palabra clásico –en el trabajo de referencia– por seguirles el humor a los detractores del modernismo, quienes se pavonean apellidándose *clásicos* sin que hasta la hora presente sepamos *do* anda su clasicismo. Considero que es un acto de piedad literaria permitirles a estos amables señores que continúen adornándose con el nombre de clásicos, pues, a juzgar por el bien que ello les hace, fuera imperdonable crueldad destruirles su cara ilusión. Caballeros ante todo, sonriámosnos –*english fashion*– sin que apenas el más leve rictus delate nuestra gran carcajada interior, y démosnos a pensar que mientras haya antimodernistas que no sepan lo que son ni lo que es modernismo, la comedia de la vida será más amena e interesante. Si mi interpelante quisiera tomarse la molestia de preguntarles a los antimodernistas a qué escuela pertenecen –ya que detestan de lo moderno en Arte– a buen seguro no sabrían qué contestarle. Y es que entre nosotros prospera gran número de críticos *natos* que, sin la debida preparación mental y horros de toda idea, se lanzan a hilvanar los últimos lugares comunes que leyeron en algún detestable autor, y nos hablan doctoralmente de su ciencia con el aplomo y afirmativo optimismo de un Dr. Pangloss... Mientras tanto, sigamos los amantes de la buena literatura libando en los clásicos de la Hélade la rica miel de su poesía, no olvidando que el Arte en América ha de cumplir una misión más alta y más humana que la realizada en Europa. Thoreau, Whitman y Chocano son los guías.

Detesto de clasificaciones y definiciones, por lo artificiales que son todas ellas. Pretender compendiar lo universal en cuatro palabras, es ignorar lo que es el universo. Pensemos en lo universal; no miremos la Tierra desde el gabinete de trabajo. Escalemos con la imaginación el inhollado campo de una estrella y contemplemos desde ella la patética comedia que aquí abajo se representa. Cuantas veces he osado subir tan alto, el punto menos perceptible de la Tierra fue siempre la vara cuadrada en que viven el pedagogo y el charlatán que todo lo saben: los que, según el paradójico Wilde, dedicados a la enseñanza, no han tenido tiempo de educarse a sí mismos...

No son clásicos ni románticos, ni modernistas los poetas. Los poetas son simplemente poetas. Los que se dedican a rimar sin serlo, por muchos que sean los apelativos que se prodiguen, no dejarán de ser meros prosistas en verso. El poeta canta y evoca; el prosista habla y demuestra. Si el primero sólo ha de cantar *platitudes*, más le valiera permanecer en silencio. La diferencia entre la poesía y la prosa no es de forma sino de fondo. ¿Es poeta el que canta? ¿Es artista el rimador? Tales son las preguntas del lector ganoso de placeres espi-

rituales; porque si en el fondo de la poesía no vibra un alma comple-
ja que sume facultades, reminiscencias, emociones e instintos reve-
ladores de lo que habíamos mirado y no habíamos visto, ni sentido,
nos hastiará la vulgaridad pedestre del lugar común y la tediosa re-
petición de lo harto sabido. No es artista quien no viva en íntima
comunión con la realidad, quien no la atisbe con atención felina y
de un salto no aprese uno solo de sus recónditos secretos. "Sola-
mente es arte bello –nos dice Colvin, espiritual profesor de Oxford–
aquel que ofrece sutil y permanente deleite a la contemplación. Jamás comunicará tal deleite el artista que haga ostentación de una
pedante y fría imparcialidad en presencia de los hechos de la vida y
de la naturaleza. Su representación de las realidades sólo herirá o
impresionará a los demás, tanto cuanto ella les haga fijar la atención
en las cosas que le hirieron e impresionaron a él mismo. Para despertar la emoción, menester es que haya sentido emoción; y es imposible que la emoción exista sin la parcialidad. Artista es aquel que
instintivamente tiende a modificar y a labrar todas las realidades
que contempla, a impulsos de cierto mordiente y sensitivo principio
de preferencia o selección que en su mente se agita. Instintivamente
añade, de cierto modo, algo a la naturaleza, y por otro lado le quita
algo también; desdeña este hecho para insistir sobre aquel, y, si omite
más de un detalle que ha juzgado impertinente, es sólo para poner
de relieve aquellos otros que le atrajeron y cautivaron."

Con ejecutorias de clásica o título de romántica, la poesía de la
generación del '87 ha tratado de prolongarse y extenderse hasta el
momento actual. Pero ya nadie cree en ella. Su horror al naturalis-
mo y al positivismo la incapacitan para prosperar en este ambiente.
Obediente a un sistema filosófico cuyo predicado principal no era
otra cosa que la misantropía quintaesenciada, odió la vida y a la
humanidad; se esforzó por fabricar un idioma que no supiera de la
realidad cotidiana, y acuñó valores de artificio visible a simple vista.
Ayes, lamentaciones, suspiros y gritos desolados eran su características. Negaba la realidad, sin afirmar ideales; lloriqueaba, languide-
cía sin consuelo y se tornaba triste al primer contratiempo. Todo
se esperaba del *hado*, del *numen*, de la *musa* y de la *tosca lira*. Poesía
para jóvenes negativos. Odiar al prójimo y desear la mujer ajena
eran los mandamientos de los imitadores de Lord Byron, según lo

entendió el sutilísimo humorismo del gran Macaulay. *Poeta llorón*, era frase muy oída ya en tiempos de mi niñez, hace veinte años. El arrebato, el énfasis y la afectación pasaron, como pasan las epidemias, no sin causar estragos lamentables. El dolor y la duda de Byron fueron sinceros y profundos; pero de no haberlo sido, nos dejó al menos una creación enorme y universal en la figura de *Manfredo*. ¿Qué creaciones nos legaron los cultivadores de nuestro romanticismo? ¿Dónde el reproche sincero, la duda que descamina y el dolor de vivir esta vida convencional y mediocre? Todo era hueca palabrería. Ni arte, ni refinamiento, ni poesía, aparecen en las composiciones de casi todos nuestros poetas malos. ¡Horror al poeta nato sin idea de la vida! ¡Horror al artista sin cultura ni refinamiento! Ellos nos dejaron sin ideales, sin luces que seguir en nuestra senda, sin un optimismo, sin una esperanza, sin un solo consuelo, sin un solo lazo que nos uniera a la vida. Románticos hubo en Inglaterra y en Francia que hicieron "arte por el arte": Teófilo Gautier y Oscar Wilde. Pero su exquisito refinamiento elevó la mente a la contemplación de supremas bellezas, y embellecieron la vida con la mentira de ese arte. Era su romanticismo, especie de afirmación optimista de la existencia de un nuevo sendero por donde escapar del tedio universal. Era un romanticismo en acción, cuya mira única fue siempre deleitar, encantar, haciéndonos olvidar cuanto de vulgar y odioso hay en la realidad. ¿No es el solo deseo de encantar prueba inequívoca de solidaridad? ¿No es nuestro mejor amigo quien nos hace reír y despierta en nosotros estados de alma evocadores de la eterna belleza? ¿No predica el bien, la verdad y la justicia, quien desfila por la vida sembrando flores de alegría en todos los corazones? En cambio, nuestros románticos melenudos cultivaron el egoísmo, la molicie del espíritu, sin preocuparse, en lo más mínimo, de los dolores y las ansias de los demás. Escribían –ya lo dijo *Clarín*– por la fama que su arte pudiera granjearles; aspiraban a la gloria, no de la humanidad sino a la individual y egoísta. Les faltaba *sense of humor*, remedio infalible contra el ridículo. Al estampar Chocano en *Alma América*, a guisa de palabras liminares: *Téngase por no escritos, cuantos libros de poesía aparecieron antes con mi nombre*, asestó el golpe de gracia a la poesía pétrea de nuestros abuelos. Diríase que el gran poeta rió entonces por primera vez y comprendió...

Even as you and I, que diría Kipling.

La generación actual recibió de lleno el influjo de las nuevas ideas. Educada para luchar en otras palestras, se aprestó al combate de la vida ostentando en el escudo otras empresas. Estudió idiomas, analizó, examinó y comparó. Sin ser iconoclasta, sustituyó por otros los antiguos ídolos literarios. Desdeñó lo accidental y pasajero para sólo mirar lo universal e inmanente. Odió las reglas y la retórica, para sólo amar la eterna belleza y la eterna armonía. Cerró los libros de Revilla y abrió los de Ruskin, Arnold, Pater y Meredith, en cuyas páginas contempló la belleza de lo que vive, y amó la vida. Con Macaulay aprendió a ser analítica y sutil; Carlyle, Emerson y James le enseñaron a ser soñadora al par que fuerte. Thoreau y Whitman fueron sus maestros de energía, tolerancia y humana solidaridad: con ellos estudió la naturaleza y sintió exultantes vibraciones. Con Chocano fue en busca de alientos a la historia maravillosa de la raza y a las selvas imponentes de nuestra América. Y cuando quiso ser elegante y refinada y helénica, rimó con Rubén Darío. Al estirado y aullante Echegaray, sucedió el insinuante y sinuoso Benavente. Marquina, Machado, Jiménez y Villaespesa hicieron olvidar al oratórico Núñez de Arce y al ingenuo Campoamor. Valle-Inclán aprisionó en sus versos y en su prosa una exquisitez desconocida en nuestra lengua. Y Unamuno, Maeztu, Baroja y Azorín enseñan un realismo idealista, exento de crudezas y de contactos con cierto grosero positivismo. En estos momentos las miradas de esta inquieta juventud vuélvense atraídas por una estrella que fulgura y conduce, allá en el Sur, hacia el nacimiento de un hermoso y radiante ideal. He evocado el nombre del autor de Ariel...

* * *

A esta generación que supo desterrar la afectación, el énfasis y el falso lirismo de nuestra literatura; a esta generación de rimadores de la vida; que no confunde la Retórica con la Poesía, ni adora ciegamente lo pasado para detestar del presente, ni del porvenir; a este grupo de hombres nuevos, llenos de pujanza y de sano impulso espiritual, pertenece el poeta Antonio Pérez Pierret. Y éste es su primer libro de versos. Versos de hombre joven que traducen, no las precocidades nerviosas de la impaciencia, no los traicioneros atisbos de

9

una falsa visión, sino el sosiego y el convencimiento profundo de lo que se ha visto y meditado. Cuando –hará cosa de un año– aparecieron sus primeros versos, preguntaba el gesto dudoso de los que habíanle visto jugar el alza en nuestro Wall Street, –¿poeta, Pérez-Pierret?– como si a un hombre, porque es alto y corpulento, porque es dueño de una hermosa fortuna y figura en los círculos financieros, le estuviera vedada la selva divina y prohibido el rimar su vida en canciones. Lejos de compartir tal extrañeza, estábamos los que de antiguo le conocíamos; los que hemos oído su plática íntima que acusa una cultura depurada, pero inquieta y curiosa por saber más. No en vano su espíritu estuvo en aquellas aulas donde los *Clarín*, los Altamira, los Melquiades Álvarez, los Posada y los Builla, proyectaban de sí su refinamiento y su hondo pensar. Seis años en Vetusta, en el círculo de *Clarín*, en la Academia a la que sólo asisten los privilegiados del talento; seis años de ambiente cultural en la vieja ciudad ovetense, refugio y asilo del saber español; seis años de orgullosos triunfos escolares, recompensa de una seria labor, tal la carrera universitaria de este abogado-poeta.

Pero las aulas no entumecieron su ágil innato temperamento, ni infiltraron en su alma esa densa obscuridad de todo lo estrecho que tan lamentables huellas ha dejado en algunos cerebros: le enseñaron a pensar, a saber lo que es el saber, y le señalaron rumbos y orientaciones para el porvenir.

Pérez-Pierret es de los modernos. A las primeras vibraciones del cordaje de su lira, ya todos sabíamos que cantaba un poeta. *Bronces* denomina su libro, con palabra acertada; pues broncínea es su lira, y el alto relieve predomina en el sinfónico desfilar de sus imágenes y en los precisos lineamientos de sus figuras. Este poeta fuerte y sano, que gasta coche, vive suntuoso chalet y pasea su prematuro *spleen* en luciente automóvil, diose a rimar, en sus comienzos, poesías de gabinete, impresiones de fuera para adentro, cincelando sus versos con una corrección exquisita. Admiro esa corrección por más que no soy de los que opinan que la *corrección* en el verso es todo. Lejos de ello, sólo me preocupa la poesía, no importa la forma en que esté vertida. A tal respecto, ciertas palabras de Macaulay son muy pertinentes, aunque no aplicables a nuestro poeta, que sabe ser correcto sin ser retórico. "¿Qué se entiende –preguntaba el ilustre

Lord– por corrección en poesía? Si entendemos que para ser correctos debemos ajustarnos a las reglas que tienen por fundamento la verdad y los principios de la naturaleza humana, entonces *corrección* tanto vale como *perfección*. Si, por el contrario, se quiere significar con esta palabra que para ser correcto hay que sujetarse a reglas puramente arbitrarias, entonces corrección podría ser otro nombre que se diera a la frialdad y al absurdo. Si se entiende por corrección conformarse con una estrecha pragmática que al propio tiempo se muestra indulgente y suave con la *mala in se*, multiplica sin asomo de razón los *mala prohibita*; si para ser correcto es fuerza observar con escrúpulo ciertas reglas, digámoslo así, de ceremonial, que no son más esenciales a la poesía que lo es la etiqueta al buen gobierno, o las abluciones de los fariseos a la devoción, entonces Pope puede ciertamente ser más correcto que Shakespeare."

Fue devoto Pérez-Pierret, en un principio, de la más atildada corrección: pero no tan idolátrico de ella que olvidara la esencia del arte de la poesía. Es la suya una corrección elegante, sin afectación; obediente a lo refinado y refractaria a la pedantería. Está en el secreto de las reglas y preceptos, mas no se deja dominar por ellos. He aquí una prueba de su buen gusto, he aquí cómo evitará caer en lo vulgar.

"Pero no es sólo en el dominio de las bellas artes –añade Macaulay– donde los hombres de criterio estrecho admiran la falsa corrección, por no saber distinguir los medios del fin, ni lo accidental de lo esencial, porque Jourdain también quería que las armas se esgrimieran correctamente, y decía a su adversario que debía esperar siempre a que parase los golpes. Tomés buscaba la corrección en la práctica de la medicina. 'Yo soy partidario de Artemio, exclamaba. Podrá ser que su sistema haya matado al enfermo; pero es necesario, suceda lo que suceda, observar las formalidades debidas. Un muerto no es más que un muerto y no tiene consecuencias funestas; pero la omisión de una formalidad trae resultados muy graves a toda la clase.' "Recordamos haber oído –sigue diciendo– censurar a un oficial alemán, ya anciano, y que así mismo era partidario de la corrección en las operaciones militares, la táctica de Bonaparte, porque, según él, había destruido de un golpe el arte de la guerra que tanto floreció en tiempos del mariscal Daun. 'En mi juventud

–decía– teníamos la costumbre de hacer, durante el verano, marchas y contramarchas sin ganar ni perder nunca una legua cuadrada; hecho esto nos recogíamos a cuarteles de invierno. No se podía pedir más; pero he ahí que se presenta un ignorante, un calavera que se lanza de un vuelo de Boulogne a Ulm, y de Ulm al corazón de la Moravia, y que da batallas en lo más crudo del invierno, inaugurando una escuela de incorrección monstruosa.' A pesar de la profundidad de estos críticos –comenta el *humano* de Macaulay– el mundo sigue creyendo que el objeto de la esgrima es alcanzar el adversario; que el objeto de la medicina es curar; que el objeto de la guerra es hacer conquistas..."

Desde Homero hasta el Profesor Valbuena, han cantado muchos poetas; pero sólo han quedado los que expresaron la verdadera poesía, olvidados de las reglas y cánones de la crítica. Pérez-Pierret parece haber aprendido en Edmundo Gosse "que la terminología prosódica de los griegos, considerada tan a menudo por impoéticos escritores como algo científico y sacrosanto, data de la fecha en que la literatura de la antigüedad había perdido su lozanía y vigor, y habíase convertido en exclusivo objeto de analistas y gramáticos; y al apreciar el valor de las reglas de la prosodia griega, debemos recordar que fueron inventadas por eruditos hombres académicos a fin de explicarse fenómenos, que observaban y deseaban comprender, en una literatura que ya era clásica hacía mucho tiempo".

Watts-Dunton, exquisito crítico inglés, ha hecho una admirable división del campo de la poesía. De un lado, coloca a los poetas de la energía, y de otro a los poetas artífices. "En algunas literaturas –dice– como la inglesa, por ejemplo, la cualidad dominante es la energía poética; en otras, como la de Roma, la nota principal es la del arte poético." Pérez-Pierret marcha francamente hacia la energía poética, convencido por la vida ambiente. De la firmeza broncínea de la forma diríase que trata de pasar a la agilidad y a la soltura de cierto versolibrismo. Comparad "Mare Nostrum" con "Oración de la tarde" y observaréis esas acertadas tendencias. Hay en "Oración de la tarde" algo permanente y universal; emoción profunda, sentido de la vida, ritmo de la naturaleza. Es un canto whitmaniano al eterno vivir, al "fermentar de las sementeras"; el poeta ha oído la cosmogónica sinfonía del amor; su pensamiento sabe que el amor triunfa de la muerte, y el dolor de morir tórnase en lágrimas de generosa alegría.

> porque me prolongo en quien del tiempo se olvida
> en una eternidad de primaveras,...

Dentro del metro antiguo este hermoso soneto hubiera ganado en *corrección* retórica; pero hubiera perdido en emoción, en lozanía y en naturalidad. El poeta acertó aquí, siguiendo el procedimiento en virtud del cual la palabra, representación de ideas, y no la sílaba, acentúa la emoción, y dice, por modo espontáneo y natural, lo que en el alma del que canta bulle por salir y expresarse.

"Mare Nostrum", "La raza", "Medioeval" y "Mi Pegaso", son elegantes composiciones en las que el poeta nos habla del secreto de su verso; en ellos expone su técnica y su estética con singular maestría. Cierta indecisión de ánimo, una como tendencia a abandonarse a su instinto poético, predomina en esos cuatro sonetos; pero en el fondo de ellos colúmbrase ya el "ebrio de ebriedad divina", que hace siglos que marcha "sin llegar todavía", en cuyos labios juega "un reír que ha llorado...".

En "Vasco Núñez de Balboa" el ibero-americano que vive orgulloso de su estirpe en el alma del poeta, opone el canto de la proeza épica del gran conquistador a la jactancia de los calculadores del Norte. ¡Rompa el pensador la endurecida costra social, penetre en el histórico subsuelo, que removiendo los viejos surcos habrá nuevas flores y nuevos frutos de ideal!

En "Mater nostra" tiembla el amante de la naturaleza, que ha padecido "la angustia de *su* [*sic*] enorme eclosión." Panteísmo sano, vibración de vida, exaltación del que vive "una vida poblada de rumores".

Campea en los versos de Pérez-Pierret, envuelto en rico manto verbal, un temperamento de artista. Atisba a veces la vida desde el ángulo triste del escepticismo. La riqueza y el bienestar, la buena mesa y el espumoso vino no han nublado su lúcida visión de longividente. Así, en "Drama eterno" el espíritu de un afortunado dialoga con un fracasado de esta vida; y el poeta ríe del rico *caballero*, que iluso creyó su *patria* muy distante de la del andrajoso pordiosero, al ver

que, en una vuelta del sendero,
Lo asesinó La Pálida Enlutada.

Pincelada sutil de impresionismo es "La Juerga". Aquellos voraces ojos que

se entornan de fatiga,
Persiguiendo, entre blondas, una escarlata liga,

son los ojos que reflejan toda el alma sensual, bulliciosa y alegre del cuadro andaluz. Es cualidad innata del poeta ver en las cosas rasgos, líneas y perfiles que la mirada del vulgo no ve. Y Pérez-Pierret posee esa cualidad. Su visión es certera y sintética, y la expresa siempre en un lenguaje que sabe de la gracia y del donaire. "Mabel" es una nota delicada en la que predomina el blanco de nieve. En "El Cóndor" hay subjetivismo expresado por medios objetivos. "Aurora en el mar" no revela al artista en su mejor *mood*; es débil la mano que ha trazado este cuadro; diríase que el poeta estaba ausente de sí mismo cuando escribió este soneto. "Tríptico místico" es aromoso, es alado, es sutil. "Oración matinal" es un canto alegre y sonoro, inspirado por la "armoniosa campana" azul del cielo, en medio de un día radiante. El poeta siente lo que podríamos llamar el optimismo alegre de la mañana, y lo expresa con mano maestra. "Epitafio" muestra a un poeta que ha bebido en nuestro rico y viejo léxico; en el segundo terceto sonríe el escepticismo del hombre de mundo. Pérez-Pierret ama el contraste, la variedad en la unidad; sin buscar paradojas, halla las antítesis. "A una hermana" es de lo mejor que ha producido; el poeta se ha sentido vivir, ha bajado al fondo de su espíritu, y el nuevo saber ha puesto un amargo dejo en sus labios. Por eso dice:

Gentes desorbitadas, caídas de otros mundos
Tenazmente sufrimos nuestros sueños profundos...
Marchamos ciegamente, con los ojos abiertos,

Sentimos el impulso de llegar, pero vamos
En un zigzag tan loco que apenas si marchamos,
Cargando en nuestras almas a nuestros cuerpos muertos!...

Hecho en horas de frivolidad es el cuadrito "La vecina del número 4". Perfecto, no obstante. Erudición velada sabiamente hay en "Tríptico mítico": tres figuras fundidas primorosamente. El alto relieve se ha destacado aquí del muro, tornándose en estatua. Delicadeza, elegancia y refinamiento uniéronse para producir "De otras vidas" y "De mi selva interior". Riqueza del añoso lenguaje ostentan "El asalto" y "En la torre del viento".

Gracias a Dios que he leído un nuevo libro en el que no he podido detener una sola *licencia*; y es que el poeta moderno no ha menester de *licencias* para escribir. Quien vive la libertad no pide *licencias*; y destruida la Bastilla retórica ¿qué poeta trabaja con *licencia* de ningún arbitrario crítico a lo Hermosilla? Pérez-Pierret trabaja su verso, guiado sólo por su instintivo temperamento de artista; cambia las pausas, maneja el acento y da libertad al metro, en consonancia con el tema, el grado de emoción, y ligándose, no a la Retórica, sino a la Estética moderna. La inspiración de Pérez-Pierret es lozana; no bebe su poesía en los libros sino en la vida. Diríase que ha oído al iluminado de Norteamérica: "¡Poeta! –advertía Whitman– no hagas versos con el espíritu que es hijo del estudio de los cuadros de las cosas: hazlos con el espíritu que nace del contacto con la realidad. Disemina fuertes genes sexuales!". El escepticismo de "Estoy solo" no deja sabor a libros; es natural, y se filtra, espontáneo del corazón. Nota hermosa de emoción es "Mi maestro": en mi concepto, la más honda que ha dado. Es la lágrima más bella que ha llorado el poeta; así como "La dama desconocida" es la sonrisa más fina que han dibujado sus labios. Sin el buen gusto de Pérez-Pierret, la ironía de este último soneto hubiera caído en lo grotesco. Es un triunfo del más fino *sense of humour* la triste figura que va presurosa, "bien estiradas las piernas en el abierto compás", tras la *dama desconocida* que columbramos lejana y que tan cerca está de nosotros...

En América se vislumbra al poeta que habrá de cantar al porvenir. Aquí es fuerte sin ser ponderoso. Cante su energía, libre y creadora; ponga su lira al servicio de nuestro ideal; beba en las fuentes de la historia y de la naturaleza, y el poeta Pérez-Pierret habrá cumplido en las Antillas la misión de Whitman en el Norte y de Chocano en el Sur. "América" está escrita sin trabas formales; es una poesía hermosa, libre, plena de entusiasmo viril.

15

Es un himno al hombre futuro, a las fuerzas que irradia esta cuna de la venidera humanidad. El genio de Chocano dio con el derrotero. Pérez-Pierret lo hubiera visto, quizás muy tarde para cantarle, pero lo hubiera visto también. Pérez-Pierret, en tal sentido, es nuestro Chocano, como Llorens-Torres ya es nuestro Whitman. Ambos poetas, americanos, fuertes, de energía, para alentar a la acción, aunque a veces madrigalicen y canten a alguna bracinívea "Mabel".

* * *

Pocos poetas pueden sentir el orgullo de triunfar al primer libro de versos, como este fuerte Pérez-Pierret, que de un solo vuelo se coloca entre los primeros cantores de las Antillas. Adrede he sido corto en el elogio, temeroso de que una antigua amistad, trabada en los buenos días de la niñez, multiplique mi entusiasmo y exagere mi admiración por el poeta.

Este libro es un libro de Arte, que yo me he permitido abrir. Volviendo sus páginas amenas, como aliento de cosas fragantes, la memoria me trae el recuerdo de dos adolescentes que jugaban o se tornaban serios para hablar de Geografía y Latín. ¡Quién nos hubiera dicho que un buen día el mayor de aquellos niños habría de escribir, veinte años después, el prólogo de estas primicias poéticas!

Bien vale este libro esta hoja de laurel.

Mare nostrum

A Luis Muñoz Rivera

Sobre el ronco oleaje de los mares navego
En mi trirreme, ebrio de una ebriedad divina,
Insuflada la nieve de mi vela latina
Por el único soplo de mi espíritu griego.

Bajo el sol que me clava su pupila de fuego
Todo el bosque de palas paralelas camina,
Y la chusma, afincada a los remos, se inclina
En un ¡HAM!... tan enorme que hasta yo me doblego.

La salobre fragancia salpicante me riega
Y por ella discurro sin más corte ni guía
Que mi alada Victoria que en la prora se anega...

Y no sé a dónde llego ni de dónde venía,
Pero en mar infinito mi trirreme navega,
Porque ha siglos que marcho sin llegar todavía...

La raza

Para Antonio Álvarez-Nava

Tiene mi ruda "prosa" la humana bigardía
Del Frigio, por Don Diego de Silva retratado;
Y, pues en mis dominios "el sol no se ponía",
Opongo a las presentes... las glorias del pasado.

Rumoran mis "decires" ingénita armonía
Por la salvaje audacia de un ritmo desgreñado...
Repleto el odre rancio, desbordará poesía
En vez de turbias heces del zumo avinagrado.

De lejanos países, enfermo, dolorido,
Bajo la dura carga de sueños abatido,
Llega mi pobre "verso", del artificio falto.

Camina cojitranco por el azul del cielo,
Y de pronto, contráctil en su ansiedad de vuelo,
Traspone el infinito de un formidable salto.

Medioeval

A Luis Llorens Torres

Hay en mi verso toda la majestad sombría
De un altivo monarca, ya viejo y destronado,
Que recuerda, perenne, su luminoso día
En la cerrada noche de un trágico pasado.

Cruzan rudos guerreros por su monotonía,
Y un arnés, a horcajadas, en bridón lorigado...
Y, en la nube de polvo, el botín, que venía
A hombros de sufridos pecheros confiado.

Múrice, y ampos, y oros... Y la dura energía
De un bosque de bisarmas en el mármol clavado.
Y nobles que se doblan en la cortesanía

De una grave zalema... Y, ante el Rey, corcovado
El bufón, que degrada su honda melancolía
En el *rictus* nervioso de un reír que ha llorado...

Mi pegaso

A Gustavo Fort

Yo monto un anglo-árabe de recia contextura.
De finas cañas ágiles y de alongado cuello.
La rama de los nervios rubrica su figura
Y es ridículo y raro a fuerza de ser bello.

Proviene de crinados de una sangre tan pura
Que dio a su frente equina un divino destello.
Y piafa y brinca y vuela bajo mi horcajadura.
Y bebe eternidades su anhelante resuello.

Pace en plácidos prados, pero sobre las cumbres
Cantan sus claros cascos florecidos de lumbres,
Húmedo el belfo ávido de azules lejanías.

Se tiende desbocado por la estrellada esfera,
Mas, súbito, lo enfreno de tan brutal manera
Que –prieto el rendal– vibra entre las manos mías.

Vasco Núñez de Balboa
Diálogo de razas

A José Vicente Cintrón

–¡Hombres débiles y enfermos!– ...¡El crispar de nuestra mano
Ha partido en dos al Boa que rubrica el Continente!
¿Dice acaso glorias tales vuestra raza displicente
Que hace siglos que bosteza en el Mundo Americano?

¡Nuestros hombres que enmudecen tus proezas, Pueblo Hispano,
En la sombra que a las aguas de la cumbre más ingente,
Por la enorme cortadura que divide a la Serpiente,
Pasan naves del Atlántico al Pacífico Oceano!

–Perdonad, héroes del Norte... Nuestros héroes son más grandes:
¡Las pasaron en sus hombros por encima de los Andes!
¡Nuestra Raza no sabía del chorrillo de agua impura

Y cargaba los navíos en su propia curvatura!
¡Y así, en andas de sus gentes, por las rúbricas del Boa,
Enlazaba los dos mares Vasco Núñez de Balboa!

Responso

A la memoria del inmortal
Rosendo Matienzo Cintrón

El formidable arquero quiere horadar la muerte
Y tiende rudamente su arco de la Verdad,
Que se curva vibrando de manera tan fuerte...
¡Por la fuerza inaudita de la Idealidad!

Y flechando infinitos... rueda el arquero inerte,
Todo arrecido el arco y exhausto ya el carcaj;
Pero en el largo curso de los siglos se advierte
El vuelo de sus flechas hacia la Eternidad!...

Y en estas playas nuestras... que fueron españolas,
Hoy bajo el ala enorme de la rapaz sañuda
Y entre chillones tintes de falsas aureolas,

Tal vez a la memoria del gran arquero aluda
El mar que ronco reza su rosario de olas
O el monte que remeda una campana muda.

Mater nostra

A Miguel Guerra

¡Naturaleza!... Toda te he mirado, desnuda
Como una buena hembra, bajo mi corazón.
Y he vibrado en el verbo de tu elocuencia muda
Y padecí la angustia de tu enorme eclosión.

Y me he sentido ceiba milenaria en que anuda
La trepadora liana su sierpe en floración.
¡Qué en azur insondable mi ramaje sacuda
Y que el cristal del aire rompa en mí su canción!

Y me he creído hondo... hasta la negra entraña
De la tierra... Y la muerte desgastó su guadaña
En el añudo tronco que siempre dura en pie...

Y, en la policromía de pájaros y flores,
He vivido una vida poblada de rumores,
Como Tú, eternamente, y sin saber por qué.

Aurora en el mar

A Jorge Adsuar

La lente de ocres y oros del Padre-Sol venía
Del fondo de los mares hacia el cenit subiendo,
Y un claror de infinita dulzura desleía
En el azur tranquilo, su flor de luz abriendo.

Vuelca toda la gama de su policromía,
En los siete raudales del iris bendiciendo,
Y la clara esmeralda de las aguas estría
Sobre las soledades amargas sonriendo.

Rojos rayos fustigan las vaporosas brumas
Y las nubes incendian en un nimbo dorado,
Saltan sobre las olas, irisan las espumas.

Un collar de gaviotas, de pronto desgranado,
En el cristal del aire baña sus níveas plumas...
Guiña, en la luz albino, lucero obnubilado.

La juerga

A José de Jesús Esteves

En el morisco patio que claros surtidores
Refrescan, bajo el cielo cobalto de Sevilla,
El Santo del Espada celebra la Cuadrilla,
Brocheando vivo cuadro de cálidos colores.

A compás de guitarras de ritmos gemidores,
Retrechera gitana llora una seguidilla;
Pero la longa caña de rubia manzanilla
Disipa de repente sus líricos dolores...

Requiebros, libaciones... Un chulo se las naja:
Le da dentera el agrio tric trac de la navaja...
Ladeado el castoreño, ondula suavemente,

Desenroscando el tango, la lúbrica serpiente...
Y los voraces ojos se entornan de fatiga.
Persiguiendo, entre blondas, una escarlata liga.

Mabel

A Luis Samalea Iglesias

Carnes de lirios, carnes espiritualizadas
Que muestran los senderos azules de las venas;
Carnes de transparencias tan claras y serenas
Que dicen lo que sueñan a todas las miradas.

Límpidas, ondulantes nieves inmaculadas
En el delgado talle y en las caderas llenas,
Agólpanse formando las albas pomas plenas,
Sobre los duros vértices las rojas pinceladas.

Rielar de luna en donde se duerme la pureza
De las pupilas zarcas de nórdica belleza...
Celestemente tierna, humanamente ruda,

Ama y teme los besos quemantes y sonoros,
Y nimban locas trenzas de serpeantes oros
Toda la blanca hostia de la carne desnuda.

El cóndor

A Eugenio Benítez Castaño

Vuela el cóndor, vuela recto hacia la altura
Persiguiendo un término "siempre más allá"...
En el ancho espacio su negra figura
Es apenas punto perceptible ya.

Amplios horizontes cruza, en su locura
De llegar a donde nunca llegará,
Y en eternidades el pecho satura
Soñando que cerca del vértice está.

Por el infinito sin cesar navega
Y las recias alas pertinaz despliega,
Ebrio de ebriedades, del ensueño en pos...

En el azul diáfano piérdese atrevido,
Hasta que, de pronto, siéntese atraído
Por las insondables pupilas de Dios.

El laudo

A Rafael H. Monagas

Contemplan las eternas pupilas el combate
Desde el cerúleo cielo. Por armas una lira
Levanta Apolo, y Venus a la victoria aspira
Sin que el púdico velo su belleza recate.

Ríe y llora la lira del olímpico vate...
Ya clama fragorosa, ya lánguida suspira,
Y a los espacios lanza y en los espacios gira
La gestación armónica que en las creaciones late.

Trenza Venus la danza de lúbricas torsiones;
Sueñan sus temblorosas carnes delectaciones...
–Palpitan al unísono todos los corazones.–

Se ofrenda a las caricias... ¡Alba estrella desnuda!
Y un acre olor de hembra que sus ardores suda
Pasa por la asamblea que permanece muda.

¿Será ella?

Siempre he llegado tarde. Y, en mi destino adverso,
Sé de la Presentida, pero no de la Amada;
De la que alienta y vive en el ritmo de un verso
Y que apenas en sueños ha sido siluetada.

Es una imagen única en la que estoy inmerso,
Y es vaguedad de sombra y es realidad de nada,
Y, sin embargo, rompe de mi espíritu el terso
Cristal y alumbra como un sol mi jornada.

A veces, bajo el ala de un gran sombrero, miro
La palidez romántica de una mujer divina
Que en sus claras pupilas de un celeste zafiro

Pone todo el ensueño de mi raza latina...
Pero, sólo un instante la dama me fascina,
Porque no es Ella... ¡Nunca es Ella la que admiro!

Tríptico místico

A Mariano Abril

I
Oración matinal

Campana de los cielos, armoniosa campana,
plena de los amargos rumores de mi mar...
Satúrame de azules insondables, desgrana
sobre mí tus profundos cobaltos, al voltear.

Inmérjame en misterio tu cavidad arcana
que apenas curiosea la pupila solar,
y sienta que en tu cóncavo mi vertical humana
los ultras infinitos alcanza a golpear.

Voltea, vocinglera campana de los cielos,
todas tus claridades sobre mi oscuridad...
Llévenme raudas rondas de formidables vuelos

Sordo al clamor y ciego de tu diafanidad,
Y, cuando a Dios anuncies mis últimos anhelos,
Comba sobre mi frente toda tu eternidad...

II
Oración de la tarde

Dame el hondo perfume de tu boca fragante,
madre tierra, sembrada de todos los dolores,
y pluraliza mi ardor en tus ardores
para que te sienta y me sienta dilacerante...

Y, en tu sexualidad exuberante,
ahógame de tus frutos, ahógame de tus flores,
pues soy el vértice de tus amores,
aunque tan solo duro un instante.

Pero no me angustia lo perecedero de mi vida,
porque me prolongo en quien del tiempo se olvida
en una eternidad de primaveras,

y me doy a los cuervos y a los gusanos
que son tus hijos y son mis hermanos,
en el fermentar de las sementeras....

III
Oración nocturnal

¡Estrellas!, chispas de oro de la fragua infinita
mis hermanas lejanas, de bellezas desnudas,
Llorad sobre mi frente denegrida de dudas
la lumbre milenaria que en vosotras dormita...

Dejadme toda el alma de eternidad ahíta,
en mis hondas cavernas y en mis crestas agudas,
y, flotando en mis mares vuestras sílabas mudas,
rumorad el misterio de la clave inaudita...

Que si yo no comprendo vuestras cifras lejanas
ubérrimas de vuelos, ¡oh mis áureas hermanas
perdidas en el sueño sin principio ni fin!,

tal vez al verme pleno de andanzas estelares,
sereno y constelado de luces siderales
cruce mis negras noches la sombra de Elohim.

Epitafio

A Manuel O. García

En lides y en amores denodado,
Este gentil e hidalgo mosquetero
Sabe ser con los hombres, pendenciero,
Y con las hembras, flébil y taimado.

Jamás en su escarcela de soldado
Falta la dobla, y a ganarla infiero
Le sirven, por igual que el duro acero,
Blanduras de billete blasonado.

De una viril y trágica apostura,
Donde quiera que va, presto se advierte
La magia de su imberbe catadura.

Y, en plena juventud, tiene tal suerte...
¡Que ha luengos años que le hoza impura
La boca desdentada de la Muerte!

A una hermana

Divina soñadora que en proseguir se afana
A unos cuantos mendigos llenos de claridades...
Aléjate de nuestra maldita caravana
Que ambula, delirando, por yermas heredades.

Aléjate y no gustes esta angustia extrahumana
De vibrar hondamente, de vivir tempestades,
Y de hallarte enlazada a una sombra lejana
De Eternidad que cruza por nuestras soledades!

Gentes desorbitadas, caídas de otros mundos,
Tenazmente sufrimos nuestros sueños profundos...
Marchamos ciegamente, con los ojos abiertos,

Sentimos el impulso de llegar, pero vamos
En un zigzag tan loco que apenas si marchamos,
Cargando en nuestras almas a nuestros cuerpos
                                        muertos!...

La vecina del número 4

A Rafael Martínez Álvarez

Me desvela su andar. Madrugadora,
escucho el rechinar de una ventana,
y, al abrir a la luz de la mañana,
en el cancel un punto se colora.

Por el hilo de sol, mi ojo avizora
el zahor de la carne, tan cercana
que en el bujero del cancel se aplana...
¡Pero el kimono la recata ahora!...

Y las faenas del peinado inician,
al deshacer undívagos enredos,
los lirios de las manos que acarician

las largas sombras, en vagares quedos
y, como peines de marfil, ofician
filtrando en ellas los exangües dedos.

Tríptico mítico

A Eugenio Astol

I.
Apsara Rambha

Entre los Pandavas, postrados de hinojos,
Tejiendo la danza giras lentamente,
Bajo el claro palio del cielo de Oriente
Que irisa la noche de tus negros ojos.

Los sacros bracmanes sufren tus antojos
Febriles y extraños de indiana serpiente,
Y, ebria de deseos, en la lucha ardiente
Por gustar la pulpa de unos labios rojos,

El velo te arrancas y surges desnuda,
Y, cuando tu ansia de amor les arredra,
Imploras a Krishna la cálida ayuda

Lamiendo lasciva su rostro de piedra,
Y al busto del ídolo tu carne se anuda
Como a viejo tronco sarmentosa hiedra.

II.
Astarté

¡Oh tus verdes pupilas!... Charcas meditabundas
Que, entre las longas cañas de las pestañas, sueñan
Las ultrarradiaciones de lumbres vagabundas
Que en el sombrío piélago de Baal se desgreñan...

Esmeraldas superbas, de anhelos moribundas,
En donde las hieródulas de Biblos se pergeñan
Las carnes maculadas por fiebres furibundas
Que en las ojeras lívidas el Pecado diseñan...

Serpientes enroscadas, de vibrantes verdores!...
Roeles alucinantes, de extrahumanos fulgores!...
Lunas de adormilados remansos de aguas yertas

En que flotan, cual lotos, mis esperanzas muertas!...
Gotas de absintio que, sin beber, me embriagan
Y dentro de mí mismo eternamente vagan!...

III.
Anadiomena

Sobre la mar, que canta su ronca cantilena,
De la bivalva concha surgió la rubia Helena...
Flor de espumas en donde la brisa nemorosa
–Perfume del boscaje– suspirando reposa.

Cálida flor humana de morbideces plena!...
Hierática y desnuda Venus Anadiomena!...
(Los azules tritones a sus pies)... Alba diosa,
Más blanca que la nieve de la más blanca rosa!...

Prístinas radiaciones de las zarcas pupilas
Que remedan del cielo las miradas tranquilas!...
Ágata y mármol donde la sierpe del cabello

Rubrica la opulencia de su claro destello!...
Ánfora de impolutas y tentadoras trazas
Que ha de guardar el vino de las futuras Razas!...

Drama eterno
Diálogo

A Félix Matos Bernier

¡Cuánto polvo levanta el peregrino!
–¿A dónde vas rendido y anhelante?
Comparte mi sosiego, caminante,
Sobre esta piedra, al borde del camino.

Tan cansado te encuentras que imagino
Tu patria de mi patria muy distante...
Pero, ¿no te detienes un instante?...
¡Acaso "siempre andar" es tu destino!

–¿Has visto a La Fortuna, *pordiosero*,
Atravesar por esta encrucijada?
–No conozco a esa dama, *caballero*.

Riendo, le seguí con la mirada
Hasta que, en una vuelta del sendero
Lo asesinó La Pálida Enlutada.

Viejo tema romántico

A Cristóbal Real

¡Loco! decíais...Pero entonces era
Más apacible el amoroso duelo
Y pude hallar a mi dolor consuelo
Creyendo realidad una quimera.

¡Eternamente mi locura fuera
Si he de vivir en tan mortal desvelo,
Mirando siempre hacia el azul del cielo,
En busca de mi dulce compañera!

¿Fantasma o realidad?... ¡Qué me importaba
Si aun cerrando los ojos la veía!...
A flor de piel mi espíritu vibraba

Y era un placer amargo el que sentía
Al vislumbrar su imagen que pasaba,
Como una sombra, por la mente mía.

De otras vidas

¿Ya no te acuerdas, Luisa? Te llamabas *Kendjé*,
Y eras todo el tesoro del *fellah Abou'l-Bekr*.
Entraste en la mazmorra, envuelta en tu alquicel...
Yo era un *perro cristiano* de la testa a los pies.

"Escúchame, Don Álvaro: Esta noche abriré
la puerta de tu encierro y en mi alazán *djetfé*
te escaparás, Don Álvaro." Por la noche velé,
y fueron dos que huían, a escape en el corcel.

Al calor de mi pecho se posó tu *keffié*
y tu *Kendjé*, llorabas, llorabas mi aviltez;
pero el *perro cristiano* era noble también
y, pues llorabas, quiso volverte a tu ajimez.

Y de tornada fuimos y al fin descabalgué
en casa de tu padre el *fellah Abou'l-Bekr*.
Prisionero me hicieron, por tu causa, *Kendjé*,
y a la mazmorra fueron mis pasos otra vez.

A la noche siguiente tu kasida escuché,
–Una guzla dolida destilaba su miel–
Era un temblor de angustia que llenaba mi ser...
¡Y sólo entonces quise abjurar de mi fe!

¿Todo esto es mentira? ¡Y quién sabe si fue!...
¿Ya no te acuerdas, Luisa? Te llamabas *Kendjé*.

En la torre del viento

A Jacinto Texidor

Descansad, buen trovero, en postura haragana,
Que el sitial más holgado para Vos lo tenía,
Y, mientras Vos en blandos cojines se arrellana,
Ríndeos pleito homenaje la Muy Nobleza mía.

El zumo de mis vides jocunda barragana
Vos lo ofrece, trovero, y escanciado lo había
De tan amplia manera que el rojo néctar mana
Del borde de la copa de clara argentería.

Catad mi vino y luego, en la dulce galvana,
Trataremos de Heráldica, de Amor, de Cetrería...
O bien, diréis la trova de aquella Castellana

De los ojos serenos de una azul lejanía,
Que, en el florido alféizar de la ojival ventana,
Hace siglos que espera... y espera todavía.

De mi selva interior

Mi cuerpo dolorido, mi ánima angustiada,
eran Haensel y Gretel del bosque de mi vida,
pero la luz que guardan los ojos de la Amada
parpadeó en mi noche, como una lumbrarada
en lo más intrincado de la sombra, encendida.

Y, al calor de la lumbre de la larga mirada,
en mi hogar aquietado, demoré mi partida,
pero vino mi noche y sopló en la lumbrada,
y otra vez, en la sombra, proseguí la jornada
por la zigzagueante senda desconocida...

Ahora se consuelan, marchando hacia la Nada,
mi cuerpo ensangrentado, mi alma espavorida,
dubitativamente, de la lumbre soñada
apenas entrevista bajo de la arbolada
como una flor de llamas en el bosque perdida...

Y dialogan, dialogan... y esperan la callada
llegada de la muerte. Esperan su llegada
como las hojas secas esperan la caída...

Y, cuando en las tinieblas llora la madrugada,
huyendo de la lumbre, huyen de la alborada,
y, presurosamente, dialogan en la huida...

–Tal vez fuera el relámpago de una divina espada,
toda, desde la punta hasta el tazón, ardida.

–O un colibrí de fuego que bajo la enramada
de aquel boscaje pone su leve sacudida.

–O, entre las luengas tocas nocturnas rebujada,
fuera la soñadora luna desfallecida.

Tu verso

A Evaristo Ribera Chevremont

Tu verso tiene oros y ópalos de la tarde.
Es el dulce desmayo de la oración que sube
Y se mece en los aires como una blanca nube
Dormida en el crepúsculo, sobre el azul cobarde.

Quise domar tu verso que en pebeteros arde,
Erguido en mi coraza, pero, cansado, hube
De tenderme temblando de mi inútil alarde:
¡No alcanza el guantelete las alas del querube!

Tu verso albino tiene generatriz de rosas,
Sangre de ensoñaciones cándidas y aromosas
Que aun decora la mano que atraparle tentara;

Tu verso, desbordante de supremos delirios,
Desgrana ledamente collares de martirios
Que, llorando, el divino Fra Angélico pintara.

En la paz del sendero

A Evaristo Ribera Chevremont

En la paz del sendero se encontraron. Venían
Siguiendo los señuelos de claros consonantes.
El uno, rudo y fuerte; sus ojos se tendían
Al sol, clásicos arcos de saetas vibrantes.

El otro, lacio y flébil; sus pupilas se abrían
De místicos ensueños azules anhelantes...
Y los dos se abrazaron y apenas se entendían:
De tierras muy cercanas, espíritus distantes.

Vagan diciendo versos, juntos hacia la muerte,
Por montes y llanuras, hasta que el lacio advierte
La rutilante cinta de un río desbordado;

Pero, levando en brazos al soñador el fuerte,
Penetran los raudales unidos de tal suerte,
Y, como "San Cristóbal y el niño", lo han cruzado.

Mi maestro

A Jesús M. Lago

Aglomerado en torno, el gentío escuchaba,
en la angosta calleja, a un ciego violinista
que, con pureza digna del almo preceptista,
"Nel cor piu non mi sento" en el violín lloraba.

Y en tanto en el cordaje el arco resbalaba
melancólicamente, el callejero artista
–de luenga y fosca barba– siluetó la imprevista
sensación de algo antiguo que muy hondo me hablaba.

¿Quién será?... recorriendo sus pobres atavíos.
me pregunté. Y, llorando, he salido a su encuentro.
Lo abarcó el más estrecho de los abrazos míos,

y, el violinista, entonces, del corrillo en el centro
se detuvo, buscando con los ojos vacíos
cual si las huecas órbitas mirasen hacia adentro.

El asalto

A Rafael Ferrer

I.

En los dormidos campos anuncia la batalla
el roncar trepidante de los broncos cañones,
y, a la ruda elocuencia de la mortal metralla,
guiña luces el agro, ululan maldiciones.

Sobre la ciudadela el huracán estalla,
relámpagos alumbran almenas y bastiones,
y, por la pétrea fauce abierta en la muralla,
se lanzan al asalto los férreos escuadrones.

Llenan el ancho foso las carnes palpitantes
de las compactas filas de locos asaltantes...
Revientan las escalas bajo racimos de hombres

que escupen a la muerte sus resonantes nombres...
Y la vendimia roja rubrica entre las piedras
los cárdenos sarmientos de las humanas hiedras.

II.

Tres héroes alcanzaron del torreón la altura,
y templan sus audacias en mares de sitiados...
A las primeras tintas de la aurora, fulgura
un haz de yataganes contra los tres soldados.

Ruedan por los adarves... el pueblo les captura
y mueren de mil muertes en púrpura bañados;
pero ya cientos de héroes comparten la aventura,
a las ingentes rocas del murallal trepados...

Agitada, implorante, alba flámula asoma
que, en el azur tendida, remeda una paloma.
Rechinan viejos goznes... y las ferradas puertas

ofrendan sus entrañas, de par en par abiertas...
Y, bajo las arcadas repletas de dolores,
irrumpe el recio paso de los conquistadores.

Los pájaros

¡Locas alegrías
Tristezas crüeles!
Compañeras fieles
De las horas mías!

Pájaros que anidan
Bajo mi enramada
Y que, en mi mirada,
De piar se olvidan.

Pájaros que vuelan
Por mis Infinitos,
Y, oyendo mis gritos,
De mí se recelan.

Pájaros que llenan
Mis soberbias salas
De ruidos de alas
Que al fin me serenan.

Pájaro de nieve
De mis alegrías
que exulta mis días
Y a vivir me mueve.

Pájaro que viene
De mi interno cielo
Y, exaltante, el vuelo
Sobre mí detiene.

Pájaro que canta
Sus azules sueños,
Disipa mis ceños,
Mi frente levanta.

Pájaro que ama
Y me da el olvido...
¡Busca en mí su nido,
Tiene en mí su rama!

Pájaro nocturno
Que de luto viste,
Come en mí su alpiste
Siempre taciturno.

Pájaro que el zumo
Del dolor gorgota
En mi lira rota,
Cuanto más me abrumo.

Pájaro que moja
Su negro plumaje
En el oleaje
De mi sangre roja.

Pájaro que posa
sus garras en mí...
¡Pertinaz me acosa
Desde que nací!

¡He sufrido tanto
Que morir quisiera!
¡No hay hondo quebranto
Que no padeciera!

¡Y tanto he gozado
Que, a veces, me olvido
De lo que he sufrido,
De lo que he llorado!

Estoy solo

A Nemesio R. Canales

Estoy solo... No tengo la más leve creencia.
Soy un mar insondable de infinitos recelos.
Dudo de todo; dudo de mi propia existencia
Y en todas partes palpo impenetrables velos.

Hundido en las agruras de mi aridez de ciencia
No hay ecuación ni fórmula que colme mis anhelos.
Y, como un ciego en la solar erubescencia,
La noche de mi espíritu interroga a los cielos.

¿Quién soy?... ¿A dónde marcho...? Dime, zarca pupila,
¿Qué misteriosa trama mi Penélope hila?...
Dame dos claras gotas de azur, palio divino.

Dos temblorosas gotas para mis ojos yertos,
Y, a la lumbre sonámbula, seguiré mi camino,
Con el callado paso de los que ya están muertos!...

América

A Cayetano Coll y Toste

¡América!, escondida
entre las dos inmensas soledades marinas.
¡Madre nuestra!, que has tenido
larga y fecunda vida
entre las sombras de lo desconocido.

¡Madre nuestra!, que has vibrado intensamente,
y, ya vieja
en los lejanos días de *Quetzalcoatl*,
en tu noche prehistórica
pasaron raudas civilizaciones,
pero, de ellas, sólo queda
un anillo, un ídolo, o una piedra...

Eres el emerso vástago
del naufragio
de la Atlántida de Platón,
el Jardín de las Hespérides de Hesiodo
y la fría morada de Erico el rojo.
Eres la del aventurero,
la del poeta,
la del filósofo...

¡América!, has ensanchado el Mundo
desde que diera el grito mi raza en Guanahaní,
cuando, más acá de las Columnas de Hércules,

donde los antiguos
ponían el término del Ser
y el continuar de lo infinito,
ante los ojos asombrados del audaz marino
surgiste de la honda amarga,
haciendo realidad un loco sueño,
trémula y misteriosa
bajo el cóncavo de los cielos

Tú has sido la tierra prometida
que Moisés y su horda de visionarios
no lograron hallar...
Tú has sido la virgen que presentía
el contumaz ardor de Atila,
pero miró hacia Occidente
en vez de hundir las pupilas
en el nubado Oriente...
Y eres la de todos los climas
y la de todas las razas,
tú, madre América, que llegas del uno al otro polo,
y, entre las nieves inmaculadas,
pones la mancha caliginosa de tus selvas.

¡América!, que rizas hacia el azur las estaciones
como en un caracol,
y desde las gélidas punas,
por el vértigo de las hondas vertientes
o en el idilio de las fértiles cañadas,
dejas caer las claras sartas
de cantarinos hilos de agua viva,
y, entre velos de brumas
como el desfile de miriadas de novias,
las agrupas en haces resonantes
que tiendes ampliamente
sobre las negras fauces de los llanos,
y sacudes en el aire
las restallantes

trallas de cristal
y las despeñas desaladas,
y las desbordas en abanicos temblorosos
por las gárgolas de tus estranguladas cuestas,
y las aquietas en las frondas,
y las haces soñadoras
en las límpidas lunas de los lagos;
y, en caprichosas curvas, desciñes los raudales
bajo la virgen selva,
y tiendes, entre los árboles gigantes,
los horizontes de aguas de los cauces...
Eres entonces, América,
como dos liras enormes
en que las manos del Tiempo resbalan
arrancando jocundas armonías
al cordaje de plata de tus ríos,
de tus ríos como mares interiores
que caen de los cielos,
y que quieren ahogar la inmensidad salobre
en el dulzor de sus caudales inacabables.

¡América!, que te abres en herbosas llanadas
donde el viento se cansa de correr,
y te encorvas contra la Eternidad
en el oleaje de los Andes,
y te asomas a lo Infinito,
como en un supremo anhelo,
desde el suspiro de piedra del Aconcagua...
Indiana de curvas
prolíficas y amplias,
que doblegas la Muerte
en la exhuberancia
de tu sexualidad,
y te estremeces
al palpitar de todos los amores,
bajo el crujiente abrazo de la vida.

Eres la misteriosa:
la de las auroras boreales,
la de las ciegas nieblas,
la de los desolados páramos,
la de los ventisqueros caminando por siglos.

Eres la trágica:
la de las traidoras tembladeras,
la de los abismos inauditos,
la de las sedientas soledades
y la de los flavos horizontes
de oleadas de volcanes.

Eres la medrosa:
la del jaguar que salta de las frondas,
la del rumor de crótalos,
la del silbar de serpientes,
la de viscosas boas
en la glauca humedad de las selvas,
la de las abiertas bocas de los saurios,
y la de las fiebres, y la de las flechas.

Eres la luminosa:
la de la lluvia de iris de los colibríes,
la de las voladoras paletas de los papagayos,
la del cóndor en el azul del cielo
como un símbolo,
y la que recibe
los más largos y febriles besos
del Padre-Sol,
y opone la maraña de los bosques
al intrincado laberinto de los rayos.

Eres la dolorida:
¡Madre América!, hastiada de vivir,
dormida sobre las espumas de los océanos,
abatida

en la cansada rotundidad de tus curvas...
¡América!, del aborigen cobre
batido por siglos y aleado por fuerza...
¡América!, tan joven para los hombres de ahora,
y, para los Mayas y Aztecas,
América tan vieja...

El Secreto Designio te detuvo ignorada
cuando levantabas y hundías civilizaciones
por donde vagan ahora
las perseguidas turbas de indios famélicos,
cuando, más allá de los tiempos de *Mama Ocllo*
y de *Manco-Cápac*,
anlazabas los *quipos* de siglos
perdidos en tu noche,
en tu noche que florece bajo la estrella polar
y bajo los clavos de la Cruz del Sur...

Pero aún quieren hablar desde tu noche
a la serenidad de las pupilas estelares,
las fúnebres piedras de tus *huascas*,
los derruidos muros de *Palenque*,
el desvaído orgullo de *Itzalán*;
y, en sus inútiles esfuerzos,
en sus desportillados gritos,
la rota *Tihuanacu*,
la antediluviana *Mitla*,
apenas son meditativas interrogaciones
en las que acaso vive todavía
el musical gemido de una *quena*.

En el misterio de tu vida
la mano divina se tendía
y te guardaba, madre dolorida,
para el dolor de La Conquista...
Y tú que eres la de la sabiduría
de *Uemazín*,

la del valor de *Guatemoc*
y la del estoicismo
de *Netzahualcoyotl*,
esperabas a los hombres de mi Casta,
los de las férreas armaduras,
los que llegaron por el mar un día
para no irse nunca...
Esperabas
la virilidad sangrienta de Pizarro,
la estupenda osadía de Balboa
y la dilacerante tenacidad de Hernán Cortés,
para que te despertaran,
para que te abrieran
a las gestaciones de pueblos,
a ti, la desconocida en el sueño de los tiempos,
a ti, la iniciadora de los destinos futuros;
y, al correr de intensos heroísmos
por la vital urdidumbre de tus curvas,
fuiste, para los hispanos y sajones,
nuevamente fecunda.

Y para que cumplas tu misión en el devenir,
¡gestadora de pueblos!,
¡matriz ubérrima!,
¡madre América!,
sobre ti se volcaron las razas,
y en tu crisol se funden
y se odian, pero se compenetran
el aborigen cobre
y el carbón de la etiópica ralea,
al sueño del latino
y a la anglosajona realidad escueta;
y el mundo se desborda
en tus enormes siembras,
en dolor de tus entrañas, ¡madre
tan joven y tan vieja!

Y en el cruento fermentar de ahora
preparas el futuro,
el fruto de tus hondas sementeras...
Y vendrá el Esperado,
el de la nueva Era,
que retrograda en sencillez de espíritu
a la Naturaleza;
el Definitivo
que romperá los moldes del egoísmo
en la igualdad suprema,
y será hermano de sus hermanos los hombres,
y de las ceibas, y de las fieras,
y sintetizará tu angustia de dolores
en la alegría del vivir,
y la trilogía de la fuerza
en la unidad profunda,
y será cerebro,
y será brazo,
y será poeta...

Ahora, madre América,
que, desde el azur de la armonía celeste
hasta el negror del humus de la tierra,
eres como dos corazones unidos
cuyas sístoles
y diástoles
regularán la historia de los hombres,
esperas la conquista decisiva,
y la inicias en el pululante rumor de tus urbes,
en el caer constante del hacha en tu selva,
en el hervor de las hélices
por los caudales de tus generosas arterias,
en las heridas de tus minas,
en las humaredas de tus fábricas,
en el temblequeante jadear de tus ferrocarriles,
en los tendidos brazos de tus puentes
y en el colmenar de tus escuelas;

y, nuevamente fecunda,
te abres en floridos surcos
a la caricia del arado,
ahora eternamente,
bajo la trilogía de la fuerza...
Y tú, la de los Quechuas y de los Aymaras,
eres la joven América de los hombres de ahora,
la superba esmeralda
sobre el profundo cobalto de las aguas,
la esperanza
del Viejo Mundo.

La dama desconocida

A Pablo Roig

En esta tragicomedia denominada "La Vida",
el vivir es lo de menos y el soñar es lo demás,
y, aunque jamás alcanzamos la Dama Desconocida,
de su sombra leda y vaga marchamos siempre detrás.

Y la seguimos ansiosos en la presurosa huida,
bien estiradas las piernas en el abierto compás,
hasta que nos acercamos, en procaz arremetida,
y le tendemos los brazos... sin alcanzarla jamás!

Cruza montes, cruza llanos la dama despavorida,
en una línea sinuosa o en un violento ziszás,
pero, de la larga marcha, debe estar desfallecida,

porque, de su leda sombra, no quedamos muy atrás...
Y, esperanzados, seguimos y, al terminar la partida,
es Ella la que se acerca para no apartarse más...

La esfinge

A Manuel Benítez Flores

Una ansiedad enorme de Eternidad me llena,
y, sin embargo, siento cómo se va mi vida
y escucho hacia El Misterio mi isócrona caída.
Tal el constante chorro en el reloj de arena.

Es el galop de un vértigo y nada lo refrena,
es un ímpetu ciego en una loca huida,
pero intenta mi mano demorar mi partida,
afincada a la Esfinge de mirada serena....

¡La Esfinge en mi desierto jamás ha sonreído!...
¡Siempre la piedra dura! ¡Siempre el callado acento!...
Y, en las arenas frágiles de mi vida perdido.

la sombra del "Oasis de la Muerte" presiento,
y sano y vigoroso, me vislumbro caído
y, cual las hojas secas, a la merced del viento.

Otros poemas

Prometeo*

A Miguel Ferrer

Solo en la negra noche, con mi dolor a solas,
perdido en la negrura de mis internas olas,
en el lúcido sueño del que sueña despierto,
cerradas las pupilas y el espíritu abierto,
acuciado mi oído contra la madre tierra
pretendo oír la vida que en sus entrañas erra,
y, en el fúnebre parche de un redoblar profundo,
escucho los callados clamores de mi mundo...

Estoy, cual Prometeo, enlazado a una roca
y la dura caricia todo el cuerpo me toca...
Te siento, madre tierra, tan cerca de mí mismo
que sobre ti me esparzo y vives en mi abismo...
Soy como Prometeo: ¡Un águila me afrenta!
¿No escucháis en los aires su fragor de tormenta?...
El águila se cierne, cubre mis horizontes...
¡Dijérase una nube que baja de los montes!
Sus grandes alas llevan la tempestad, y siento,
cual de un volcán, el soplo quemante de su aliento!

¡Quién intentar pudiera detenerte en tu vuelo,
oh águila disforme que llenas todo el cielo

* *Puerto Rico Ilustrado*, San Juan, Puerto Rico, 20 de junio de 1925, p. 30.

y que has visto, en la altura donde tu ímpetu llega,
cómo la plana tierra, curvada, se doblega!

El arco de mi espíritu se tiende. Va mi flecha
en tu desnudo pecho a clavarse derecha
hasta que el amplio vuelo en mi frente se abate...
¡Mi corazón, sangrando, bajo tu garra late,
y me asombras de modo, nórdica águila altiva,
que apenas si te siento sobre mi carne viva!

¡No hay esperanza! Sufre, mi pobre roca esclava,
toda la crispadura que sobre mí se clava
y ni un grito se escucha... Dijérase quimera
este dolor callado si tan real no fuera...
Y hay ruido de cadenas ocultas, pero un ruido
que se queda en las almas y no llega a sonido...
¡No hay esperanza! Nunca proseguirás el vuelo
¡oh águila, que atrajo la flecha de mi anhelo!
No de tus largos viajes un instante reposas
sino que en mis angustias para siempre te posas...
Bajo tu enorme garra que sin querer me hiere,
¡cruzadora de abismos! mi espíritu se muere...
Y no sientes la saña de tu pico curvado
que en la candente lava de mi pecho se ha entrado,
ni el palpitar enorme de mi hondo oleaje,
ni el estrangulamiento de mi inútil coraje...
¡Eternamente ávida, rauda, rapaz, zahonda
porque toda tu fuerza dentro de mí se esconda...
¡Raya mis infinitos, águila!

De repente
un cárdeno relámpago me rubricó la frente
y me sentí clamado de voces interiores
que llenaron mi alma de celestes fulgores...
¡Hay esperanza!, dicen, para el que siendo fuerte
quiere emular a aquellos que vencieron la muerte;
¡para los irredentos siempre hay una esperanza!
me grita Don Quijote, y me alarga su lanza.

Responso*

A Luis Muñoz Rivera

Duerme ahora en el quieto retiro de la aldea,
bajo una cruz florida, nuestro hermano mayor,
que se siente cansado de la dura tarea
y necesita un hondo sueño reparador.

¡Que nadie le conturbe y que nadie le vea!...
Ni tú, sauce inclinado; ni tú, pálida flor;
Y para que el reposo eternamente sea
de una dulce armonía, canta tú, ruiseñor.

Dile llorosamente tu triste letanía,
reza el trino divino de la melancolía
desde el gajo desnudo del caído laurel.

Y, al intenso conjuro de tu canto dolido,
el corazón del bosque nos dará su latido
tan tierno y tan enorme como lo diera el dél.

---

* *Juan Bobo*, San Juan, Puerto Rico, noviembre de 1916, p. 12.

Con motivo de opiniones y comentarios de diferentes poetas y escritores sobre el 12 de octubre*

...¡ Y cómo temblaría
Cristóforo Colombo,
Cuando en la lejanía
Del horizonte combo
Una gris pincelada aparecía...
Y el verdor de una tierra florecía
En el azul del mar, bajo el celeste dombo!

---

* Antonio Pérez-Pierret, *Bronces y otros poemas,* San Juan, Puerto Rico, Editorial Coquí, 1968.

Sopor*

Por el celeste dombo cruzan en tarda tropa
nébulas trashumantes de límpido zahor
que remedan, al borde de la marina copa,
el rebozo de espumas del cerúleo licor.

Un suspiro de vida me desciñe la ropa
de tan noble manera que trasciende mi ardor,
y es así como el bronce de mi pecho se topa
la desnuda caricia de tus pomas en flor.

Sueñan besos mis labios y soñando se integran
en la rosa sangrante de los tuyos que alegran
y que riman el éxtasis de una música inerme...

Y en la dulce tortura de tu amor embriagado,
de tal modo mi espíritu se ha sentido arrullado
que, sobre el oleaje, serenamente duerme.

---

* *Antonio Pérez-Pierret, Bronces y otros poemas*, San Juan, Puerto Rico, Editorial Coquí, 1968.

José de Diego*

Soberbio el empaque, canija la traza,
el oro criollo de nuestro crisol;
hijo de una tierra si pobre de hogaza
rica en espejeante señuelo del sol...

Habló de La Patria, de Dios, de La Raza,
de todo lo hermoso del clásico rol;
y sin Rocinante, lanzón ni coraza,
fue el loco y andante hidalgo español.

De tan limpias armas hizo tal alarde
que nació sin duda demasiado tarde,
cuando el quijotismo de moda pasó...

Y aunque todavía, con fulgor cobarde,
su estrella en el pecho de Borinquen arde,
como uno de tantos, sin patria murió...

---

* *Antonio Pérez-Pierret, Bronces y otros poemas*, San Juan, Puerto Rico, Editorial Coquí, 1968.

Hora mística*

No es renunciar a mucho, pues nada hay comparable
a zahondar en la veta de la mina interior
que, apartado de toda realidad ponderable,
más que vivir la vida, el soñarla es mejor.

Y, tornado hacia dentro, hendir lo inescrutable
presintiendo muy cerca el hálito creador,
y en el hondo venero del filón inefable
arrancar el milagro de un divino fulgor.

Y, ya en La Luz, sin ojos hay que mirar, y ciego,
fundir nuevas pupilas en el sagrado fuego
y oír, no en el oído, sino en el corazón.

Hasta que los abismos sean las azules abras
resonantes al eco de La Voz sin palabras
plena de la armonía de La Eterna Canción.

---

* *Antonio Pérez-Pierret, Bronces y otros poemas*, San Juan, Puerto Rico, Editorial Coquí, 1968.

Los aparecidos*

Férreo puño, conciencia también férrea, y al cinto
una espada probada en un pecho traidor,
y, en cien partes del mundo y con nombre distinto,
mi razón fue la fuerza, lo demás... fue dolor...

Poco a poco he logrado dominar el instinto,
y he depuesto el penacho de mi orgullo, Señor.
Demolí mis murallas, desferré mi recinto,
liberté mis esclavos, y... me hallé vencedor...

Pero torna aquel tiempo, que creía ya extinto:
la crueldad reflorece, reflorece el horror,
vuelve el puño cerrado en la sangre a estar tinto.

Y en el trágico juego, de la hoguera al fulgor,
tantos va Carlo Magno cuantos va Carlos Quinto,
Julio César remanda, y va el resto milord.

---

* Antonio Pérez-Pierret, *Bronces y otros poemas*, San Juan, Puerto Rico, Editorial Coquí, 1968.

Norka Rouskaya en la danza de los siete velos*

Mientras los pebeteros desrizan la humarada
de aromas y ensangrienta la luna su luar,
bajo los siete velos apareces nevada,
lívida entre tus manos la cabeza de Juan.

Y la boca del santo sellas apasionada
con la impura caricia que te supo negar,
y, al sacrílego tacto, trémula, mareada,
a compás de los símbalos te pones a bailar.

En quemantes escorzos, como lírica estanza
todo el ritmo del sexo lo diluye la danza,
en tus crenchas la noche, y la aurora en tu pie...

Y eres tú de la vida, Salomé, lo más fuerte;
pero a Juan lo ha besado silenciosa La Muerte
y en tu seno dormido, ya ni siente ni ve...

---

* *Antonio Pérez-Pierret, Bronces y otros poemas*, San Juan, Puerto Rico, Editorial Coquí, 1968.

El mar del sur*

Por fin, desde Los Andes, atalayara un día
Vasco Núñez, las pampas del Pacífico Mar,
Que el profundo cobalto de sus aguas tendía,
Cual si en el Infinito las quisiera volcar.

Y en el arnés ferrado, el español se erguía,
Turbios los ebrios ojos cansados de mirar,
Y del zafir del cielo tan cerca se sentía,
Que dobló la rodilla y se puso a rezar.

Era de ver la ingente figura del soldado,
Por el azar ungido y el azul bañado,
De hinojos en la cumbre, del véspero en la luz...

Pero, al alzarse luego, muy orgullosamente,
Todo el mito-heroísmo de su vida presente,
Y desgaja una encina... y hace de ella una Cruz.

---

* *Antología, Cuadernos de Poesía 7*, San Juan, Puerto Rico, Ateneo Puertorriqueño, 1959.

Qué difícil arte*

A Evaristo Ribera Chevremont

Vivir sin creencias, qué difícil arte;
y cuán doloroso sin ellas caer.
Sin la eterna mano que sientes guiarte,
El recto camino, qué fácil perder.

Voluble la suerte sus dones reparte
De injusta manera, con ciego poder;
Y si ni un momento feliz quiere darte,
El áncora única de vida es creer.

Retoca y alhaja tus viejos altares,
Disipa la duda que ensombra tus lares
Hasta que el espíritu en llamas esté...

Cual lábaro santo sostén tu creencia,
Y cuando ¡Imposible! te diga la Ciencia,
Arraiga en el pecho más honda la Fe.

---

* *La Semana*, San Juan, Puerto Rico, 3 de marzo de 1933, año V, número 218.

El bergantín*

A Matías Real

El mar está soñando y hasta reír se atreve
Desde la rubia arena al brumoso confín,
Y, perezosamente, las claras olas mueve
Ungidas de amargura y ungidas de zafir.

El aire está dormido y es como un soplo leve
En las cargadas jarcias de errante bergantín
Que iza fuera de puerto su velamen de nieve,
En la tarde dorada sobre fondo de añil.

Va a la otra ribera y al iniciar el viaje
Cabecea, y sacude y estira su cordaje
Solo en azules pérfidos, solo entre cielo y mar...

Contra el ala del viento, contra el loco coraje
Escondido en la calma de este lento oleaje,
¡A navegar!... ¡a navegar!... ¡a navegar!

---

* *Antología, Cuadernos de Poesía 7*, San Juan, Puerto Rico, Ateneo Puerto-rriqueño, 1959.

In hoc signo vinces*

A Enrique Zorrilla

Un hálito de horno fuerza a la vela encinta,
El maderamen cruje su verticalidad,
Y, al largo de la nave que el rudo golpe pinta,
Se curvan mis remeros contra la tempestad...

Pero el múrice lampo que sus orejas pinta
Trémulamente sobre la gris inmensidad,
Nos diezma el oleaje y, en la estelada cinta,
Convulsas testas lívidas traga la Eternidad.

Y, en el hervor agónico de mi total naufragio
El infinito inicia mi fúnebre sufragio
Llorando en las tinieblas sus lágrimas de luz...

Y, del intacto Cosmos bajo la adusta ceja,
El cielo austral los clavos lumínicos refleja
y Cristo abre los brazos en la sidérea Cruz...

---

* *Puerto Rico Ilustrado*, San Juan, Puerto Rico, 11 de julio de 1914.

La vejez va llegando*

A Epifanio Fernández Vanga

La vejez va llegando con su escarcha de canas
Y este dolor reumático que mordiéndome está
Haz del vino divino de vendimias tempranas
En vernales viñedos que se agostaron ya...

¡Paraíso perdido! Sus primicias lozanas
La mi vitanda gula no más las logrará;
Y en penuria me dejan las pasiones tiranas,
Recelosas del frío que pronto me helará.

Y sin embargo, tengo claridades ahora,
Eclosiones de ensueños, rosicleres de aurora
Y celestes penachos en el alma inmortal.

Pero de qué me vale la luz del pensamiento
Sin juventud que es fuente de perennal contento,
Hundido en las cenizas de mi hoguera carnal.

* *Puerto Rico Ilustrado*, San Juan, Puerto Rico, 4 de abril de 1925, p. 26.

Margarita*

A Luis

Cumplía yo los veinte y quince Margarita
Cuando por vez primera la vi en la Catedral
Ante el Cristo sangrante implorando contrita
El perdón de un tremendo pecado venïal.

A pesar de la dueña, se enteró de mi cuita,
Pero, siempre a distancia de imposible ideal,
El noviazgo romántico no llegó ni a la cita,
De plantón yo en la calle y ella tras el vitral.

Llegó el invierno trágico y ella estará marchita
O toda deshojada por la mano espectral,
Mas hoy al recordarla mi corazón palpita

Bajo la dulce y tibia ola sentimental
Como en aquellos tiempos en que era tan bonita
Que en la vetusta Oviedo no tenía rival.

---

* *Puerto Rico Ilustrado*, San Juan, Puerto Rico, 25 de abril de 1925, p. 28.

A María*

¡Perdóname, señor, si te he olvidado
Para acordarme de ella!

Ya no saben hundirse mis pupilas
En tu visión inmensa;
Ni he de seguir la huella de tus pasos,
Por la celeste senda;
Ni te amaré, señor, más que a ninguno,
Pues, amo a mi morena
Por encima de todo lo existente
En el cielo y la tierra.

Bien sé, mi Dios, que es grande este pecado
Y merezco honda pena,
Que he de sufrir torturas infinitas
Del infierno en la hoguera;
Pero, señor, tal vez me perdonaras
Si tú, cual los humanos, padecieras
La sugestión intensa de unos ojos
Más hermosos, mi Dios, que tus estrellas.

¡Perdóname, señor, si te he olvidado
Para acordarme de ella!

Antonio

---

*Aparece este poema en manuscrito en el misal de María Aboy Longpré, esposa del poeta.

Feliciano Mendoza, Ester, *Antonio Pérez-Pierret: Vida y obra*, San Juan, Puerto Rico, Editorial Coquí, 1968.

Ánima en pena*

A Francisco Garriga

Ánima estéril de hondas raíces,
Siglos de angustia pasan por ti,
Y alienta en vagas generatrices
La que hace siglos yo padecí.

Tus arboledos ya no sustentan
Flores y frutos. ¿Para qué son?...
Negros y enormes nos amedrentan
Con el silencio de su canción...

Siempre interrogas, nunca contestas:
Te falta ciega lumbre de Fe.
Cierra los ojos y haz en ti fiestas,
Porque, cerrados, mejor se ve...

Y así, cegado,
Deja de lado
Las acres heces de tu dolor.
Blondas azules lo han trasegado
Para que sea zumo de amor.

Sé toda buena, ánima en pena,
Rompa la risa
La telaraña de tu sonrisa...
Vuelve a la cuna, ve a tu crisol
Y que te fundan campana a vuelo...
Te falta cielo...
Te falta sol...

---

* *Puerto Rico Ilustrado*, San Juan, Puerto Rico, 3 de marzo de 1917.

Nuestra bandera*

Esta es la bandera de San Juan, hermanos
Esta bandera cubre dolores, nada más.
Es la bandera de los parias, y, como tienen las manos
atadas, no la pueden tremolar.

Esta es la que pisotearon los Norteamericanos.
Es la primera víctima. Ya caerán las demás...
Esta es la enseña de un millón de Antillanos
que morirán de hambre, sobre un peñón del mar.

En su cruz hay un símbolo de un Gólgota de horrores
cometidos en nombre de la Libertad...
Y hay sangre en sus cuarteles... Aunque en verdad

os digo que no la derramaron nuestros conquistadores.
Somos gente pacífica y los dominadores
son piratas, pero... por Humanidad.

---

* *Revista de las Antillas*, San Juan, Puerto Rico, marzo de 1914, año II, número 1.

Mignon*

A Mignon McCormick

Enunciación divina, sueño de un alma loca
En el rosal furtivo de tu inviolada nieve
Inicia en ti la vida, desde la planta breve
Hasta el clavel fragante de tu carmínea boca.

Pero el azur unánime de tus ojos evoca
La eternidad del cielo y, en el efluvio leve,
Toda tu carne joven de Primavera mueve
Un halo de infinito que apenas si te toca.

Y eres como una Reina que abre sus claros broches
en el jardín lumínico de "Las mil y una noches",
Y, a miríadas, estrellas te prosiguen de estol;

O enhébrase de rayos tu rubia cabellera,
Y rueda por tus hombros la luz, a la manera
De una husada caída de las barbas del Sol.

---

* *Puerto Rico Ilustrado*, San Juan, Puerto Rico, 27 de junio de 1914.

A mi hija*

En su álbum de graduación

La nave de tu vida en la quietud del puerto
Leva sus firmes áncoras, lista para zarpar;
A los céfiros blandos el velamen abierto,
Y en zafírea llanura la amargura del mar...

¡Oh, qué harás cuando sientas, timonel inexperto,
El hacha de la racha tu alba vela rasgar;
O en la traidora noche estés sin rumbo cierto,
Obnubilado el guiño de la estrella polar!...

Mis naufragios no cuentan... Has de aprender a solas:
Cuando el dolor desate su rosario de olas
Y, anegada de lágrimas, te sepas endulzar...

Y cuando contra el golpe filante de tu pena,
En la noche del alma, resplandezcas, serena,
Y el corazón ardido sea tu estrella polar...

---

* *Antonio Pérez-Pierret, Bronces y otros poemas*, San Juan, Puerto Rico, Editorial Coquí, 1968.

Es efímero todo*

Es efímero todo, pero inmortal la llama:
Este anhelo imposible de jamás perecer...
Sed de vida en los ritos secretos de la brama,
Inagotable fuente en tus labios, mujer...

¡Oh, divina Julieta!... Sueña Romeo que te ama,
(Pretexto del futuro que ya pretende ser);
Y la implacable llama también tu pecho inflama
En un presentimiento de los que va a nacer...

Rielar de maga luna, románticos violines,
Y entre exultos aromas de embrujados jardines
Llora su melodía Maestro Ruiseñor...

Y los amantes, títeres de trágica comparsa,
En tan viejo escenario perpetuaron la farsa
Mientras cuelga raídas bambalinas Amor...

---

* *Antonio Pérez-Pierret, Bronces y otros poemas*, San Juan, Puerto Rico, Editorial Coquí, 1968.

La Gioconda*

A la manera de Manuel Machado

El paisaje es zahareño, calcinado,
de gris ceniza, de ocre verdeante,
de leve azul y difumado ante
por submarina luz iluminado.

Y, en su eterno sitial, el acusado
busto de la Madona, resaltante
todo el marfil enfermo del semblante
entre las luengas bandas del tocado.

¡Oh los plácidos sueños adormidos
en la serena frente! ¡Oh la imprecisa
mirada de los ojos abstraídos!

¡Oh los húmedos labios desvaídos
en un vago reír! ¡Oh, la sonrisa
de la inquietante y dulce Mona Lisa!...

* *Revista de las Antillas*, San Juan, Puerto Rico, septiembre de 1914, año II, número 7, pp. 31-32.

Hacia la altura*

¡Vuela el cóndor, vuela recto hacia la altura,
Persiguiendo un término siempre más allá!...
En el ancho espacio su negra figura,
Es apenas punto perceptible ya.

Amplios horizontes cruza, en su locura
De llegar a donde nunca llegará;
Y en eternidades el pecho satura
Soñando que cerca del vértice está.

Por el infinito sin cesar navega
Y las recias alas pertinaz despliega
Ebrio de ebriedades, del ensueño en pos...

En el azul diáfano piérdese atrevido,
Hasta que –sin ojos– rueda mal herido,
Por las insondables pupilas de Dios.

_____

* *Revista de las Antillas*, San Juan, Puerto Rico, mayo de 1913, año I, nú-mero 3, p. 64.

A José de Jesús Esteves*

Porque nada sabías de la ciencia, Poeta,
y enfrente de la Esfinge indagante vivías,
¡oh qué místico exégeta de la Clave Secreta,
y qué bien la explicaste, porque... ¡nada sabías!...

Y cuando del misterio penetraste en la veta,
minero del abismo, cuando al fin comprendías,
ha reptado la muerte por tu figura quieta
y te dejó las cuencas de los ojos vacías.

Ahora que las sombras te dicen el Secreto,
transido de misterios y eternamente quieto,
en vuelos de silencios tus diálogos entablas.

Y habla la Esfinge muda enfrente a tus despojos
y revela el enigma a tus cuencas sin ojos,
porque ya tú no miras, porque ya tú no hablas.

---

* *La Semana*, San Juan, Puerto Rico, 3 de junio de 1933, año V, número 231.

El Cañuelo*

Piedad para el vetusto castillo del Cañuelo
Que, en la Boca del Morro, va pronto a naufragar,
Piedra de la corona de español abuelo,
Jalón de la Conquista, del heroísmo altar.

Alerta centinela que, en el glorioso vuelo
Del pabellón de España, tres siglos vio pasar,
Y que, en horas de angustia, defendió nuestro suelo
Como un puño cerrado contra la ira del mar.

El rosario de olas roncamente lo asalta,
Y, ya carro de espumas, hoy apenas exalta
Los leprosos adarves y el herido bastión...

Él, que aún serviría, sobre el llano de Atlante
De pedestal enorme de la estatua gigante
Del ínclito soldado Juan Ponce de León.

* *Puerto Rico Ilustrado*, San Juan, Puerto Rico, 6 de octubre de 1923.

Mi canto*

La audacia de mi canto de gestaciones pleno
Dice rotundamente mis hondas tempestades.
Es potro no domado que apenas lo refreno
Rompe el rendal y sigue sus impetuosidades.

Ni sabe de ternuras ni logra ser ameno,
pero signa relámpagos de extrañas claridades...
Y es tan Mío que ignora todo sabor ajeno,
y tan Tuyo que vive tus tenebrosidades.

Es como un soplo heroico mi canto y se doblega
Contra la selva virgen y a su furor la entrega,
Rompiendo la maraña de poder a poder.

Desconoce las eses del trillado sendero
Y, en su propio camino, quiere ser el Primero,
Y quiere de tal modo que ha de lograr vencer.

* *Antología, Cuadernos de Poesía 7*, San Juan, Puerto Rico, Ateneo Puerto-rriqueño, 1959.

Plegaria*

Señor, entra en mi casa, que es abrigado puerto
donde embarranca a veces la nave de mi hastío,
y avívame las ascuas del hogar que deserto,
y siéntate, al rescoldo, en mi lugar vacío.

Señor, entra en mi pecho, y, a tu piedad abierto,
florecerá en amores el corazón baldío,
y habrá una roja rosa para mi pobre huerto,
y un rosal naciente cuajado de rocío.

Señor, entra en mi vida, e inunda su desierto
en el raudal plasmado de vida de tu río,
y habrá una primavera para mi yermo yerto,
y unos divinos frutos para mi seco estío.

Señor, entra en mi sueño, que apenas voy despierto
cuando otra vez su soplo domeña mi albedrío,
y lucho contra sombras y en sombras me liberto
para caer, soñando, en mi dormir sombrío.

Señor, entra en mi noche, que voy sin rumbo cierto
y no he de hallarte nunca, Señor, si descarrío...
Me llevas de la mano y ni tu mano advierto,
buscándote, buscándote,... ¿Dónde estarás, Dios mío?

* *Idearium*, San Juan, Puerto Rico, Ateneo Puertorriqueño, febrero de 1918, año I, número 7, p. 16.

Buenos días*

A Eduardo Marquina

Hermano que llegas por la senda florida
lleno de gloria y de ilusión,
toma entre las tuyas mi mano estremecida,
deja sobre tu pecho latir mi corazón.

¿Pero de dónde vienes que así tus ojos se hunden tanto
en la lejanía, como si horadasen un visión?
¿De dónde vienes, que tan callado te fluye el llanto
y filtra la amargura en tu canción?

¡Has visto! ¡Has visto!... Ya conoces
lo que segaron las hispanas hoces...
¡Todo esto fue huella para tu férreo andar!...

No llores, hermano. Entra en mi bohío,
que es nuevamente tuyo lo que ahora es mío.
Siéntate. Descansa y... enséñame a soñar.

---

* *Puerto Rico Ilustrado*, San Juan, Puerto Rico, 3 de marzo de 1917.

Uno la fuerza distendida
en un eclipse de atracción,
como si el centro de la Vida
fuese un enorme corazón.

Y, en la alegría leve y rauda
que cristaliza en clara gema,
soy el lucero de la cauda,
que es el poeta del poema...

Danzan la danza de las Horas
las bailarinas de albos pies,
y van girando voladoras;
pero la danza eterna es...

Torsos desnudos, níveos velos
de gorjeante luz plasmada,
bañan la noche de los cielos
en el reír de la Alborada.

Y, en el perenne baile alado
en torno mío girando están,
desde las fiebres del Pecado
a la inmersión en el Jordán...

Vertiginosamente ciego,
sangran calvarios en mi flama,
y oigo una voz, si me doblego,
que, como a Lázaro, me llama...

Y, al divinal conjuro, aliño
en tantos marcos mi ideal,
que, ahora, apenas ya los ciño
en un abrazo fraternal.

Por eso te amo, Firmamento
de multiforme desvarío,

y, todo tú, temblar te siento
en una gota de rocío.

Por eso te amo, hermana nube,
blonda viajera del zafir.
Si mi pasado en ti no hube,
tal vez serás mi porvenir.

Por eso te amo, piedra dura,
–¡oh, silenciosa hermana mía!–
Es tan tenaz tu crispadura,
que, si pudiera, me hablaría...

Mi corazón por eso te ama,
¡oh, viborezno! Tu espiral
es el vibrátil monograma
de la vorágine del Mal.

Por eso amo tus melenas
y tus cien brazos extendidos,
árbol gigante, que te llenas,
de sol, de frutos y de nidos...

Por eso, amor, sufro tus ondas,
y me difundo en el dolor
del macro-ovario de las frondas
o el micro-ovario de la flor.

Por eso te amo, río hermano,
que me refractas la figura,
y aquí en el cuenco de mi mano,
me das tu vida y tu dulzura.

Por eso te amo, hermana brisa,
que me saturas el pulmón.
En los revuelos de tu risa
das del besar la sensación...

Por eso te amo mar, en donde,
único y múltiple, rutila

el Infinito que se esconde
en la ebriedad de mi pupila...

Por eso te amo, Hermano Cristo,
que vas nimbando la ultraluz...
Hace ya siglos que te he visto
bajo la carga de la cruz...

Por eso te amo, Magdalena,
y a ti mi mano se tendía...
Tu loca vida se serena
en la locura de la mía...

Por eso te amo, barba hirsuta,
–ioh, sueño enorme de Jehová!
Eres la fuente de esta bruta
fuerza, que te ha creado ya...

Por esto te amo, cauta Muerte,
que exterminarme no has logrado;
de mi clepsidra que se vierte,
el otro cóncavo has llenado...

Que es un trasiego mi caída,
y mi arrecida senectud
se reflorece en nueva vida
de una fragante juventud.

Y la tiniebla me rezaga,
pero una lumbre me compendia,
y soy estrella que se apaga
y nebulosa que se incendia...

Me siento colectivo y desbordante.
Mi amor se pluraliza en multitud,
y mi consciente vida de un instante
viene de lejos:
                    De una eterna inquietud...

Me habla Walt Whitman*

Ama la vida y ámala de tal modo
que, de pensar que vives, te tambalees beodo,
y, con el vigor de quien se siente fuerte,
lo abrupto del repecho serenamente advierte,
y doblega tus hombros para toda la carga
que la jornada es corta aunque parezca larga.

Anda en el convencionalismo de la Ciudad
con la sabia firmeza de tu animalidad,
y, lejos del sendero conocido,
abre tu senda en tu propia selva perdido.

Hiende los árboles decrépitos con el labio único de tu hacha
para que levante juventud el polen que viene del viento en la racha,
y, en el rumor de lo que nace y lo que muere,
haz tuyo el fruto y separa amorosamente la zarza que te hiere.

Templa tu corazón
en la tempestad de los rugidos del león;
y aprende la dulce melancolía
en la melodía
del pájaro que silba en la umbría,
y, libre de toda norma, tu soledad alegra

---

* *Antología, Cuadernos de Poesía 7*, San Juan, Puerto Rico, Ateneo Puertorriqueño, 1959.

–nuevo Adán– en la Eva de cabellera negra
y en la de los caudales rubios,
y húndete en el ensueño de todos los connubios.

Mira hacia arriba los regueros fecundos
del germen que da mundos,
y mira a tus plantas cómo el prado, abierto
al vital efluvio, tiende el verde aliño
de la fresca yerba sobre el ser que ha muerto
para que en su alfombra, se solace el niño.

A Altamira*

Sabe la nieta contestar de modo
que el abuelo en el alma la acaricia
y le pide perdón por el consejo
que sin querer le resultó ironía.

Me restregué los ojos para verte
entre el grupo de hermanos en la lira,
y no quise mirarte como a Aspasia,
sino como a Teresa la divina,
Y porque soy abuelo, te vi nieta,
y hablé como tu abuelo te hablaría...

Tienes razón; no eres
para el tibio calor de la cocina,
para el yantar sabroso en mantel blanco,
y en calado dosel la cama nívea...

No eres para el rezar junto a la cuna,
suspensa el alma de tu fe sencilla,
hallado en bucle de oro el vellocino
que busca el argonauta todavía...

---

* En contestación al poema que le publicara Altamira Fagot en *El Mundo*,
mayo de 1933.
El Mundo, San Juan, Puerto Rico, 30 de mayo de 1933.

102

No eres para la jaula, –si dorada,
vulgar– del comerciante de la esquina,
sino para los vuelos y embriagueces
en alta mar del águila marina.

Mas no desciendas; sigue en tus azules,
bañada en sol; prosigue en tu alta mira;
que el cazador en tierra te encañona,
no por albatros, sino por gallina...

Abuelo mar*

al Doctor Lavandero

Abuelo mar, que roncas tus sueños milenarios,
eres de la tragedia vital el viejo actor,
y es tanta tu amargura que innúmeros estuarios
de dulces Padres-ríos... acrecen tu amargor...

Al soplo de Lo Ignoto plasmaron tus acuarios
amiba alquitarada por filtros de dolor,
y, con vaivén de cuna, Lo Uno luego es varios,
en el juego auroral del engaño de amor...

Las zoospérmicas alas al mamífero llegan
tu insondable amargura que los humanos legan
a los superhumanos que más tarde vendrán;

Y aunque después se cambien el genio y la figura
a pesar de lo dulce de la vida futura,
de tu amargor, abuelo, nunca se librarán.

* *Puerto Rico Ilustrado*, San Juan, Puerto Rico, 4 de abril de 1995, p. 26.

II. Obra poética inédita

Mejor que esta pobre individualidad dolorosa
es ser el polvo leve de tus divinos pies:
el carbunclo del astro o pétalo de rosa
sin el curioso 'antes' y el trágico 'después'...

Ser materia inconsciente, ser materia dichosa
que existe y que no sabe aun siquiera qué es,
desde la perenne quietud de toda cosa
hasta la rumiadora serenidad de la res.

Y no la reciennacida suprasensible alma,
que ha perdido soñando la primitiva calma,
y persiguiéndote ansiosa donde quiera que estés,

La dolorida Psiquis que indaga su destino
desde la luminosa ceguera del camino
que han hollado las plantas de tus divinos pies.

* * *

¿Qué es la vida? preguntas. Sí, ¿qué es la vida?
¿Acaso algún mortal podrá saberlo?
Amarga es ella para ser querida
y dulce este amargor para perderlo.

Los días suceden a los días,
los sueños a los sueños, y entre estos
podrás poner rencores, alegrías,
engaños, desengaños. Cuán opuestos

son en esta carrera los extremos:
el vencedor aquí, allá es vencido,
tras amor, interés, si bien tenemos,

ha de seguirte un mal no conocido,
y así en sombras perdidos nunca vemos
cuándo llegamos al eterno olvido.

¡Oh Señor!

Oh Señor, ¿qué fecundo devenir ya preparas
en la última mano de tu trágico juego?
Ya no sé ni presiento lo que tú me deparas
pero soy todo tuyo y en tus manos me entrego.

Toma pronto mi vida y quémala en tus aras;
púrgame de pecados en tu divino fuego;
y a ver si de mi escoria oro puro separas
en tu crisol de enigmas... ¡Señor, yo te lo ruego!

Tú que en haces de lumbres la negrura alquitaras,
haz en mi negra noche el mágico trasiego,
y cual si nuevamente el 'fiat lux' pronunciaras,

Lléname de visiones, oh Señor, que estoy ciego,
y tras ellas iría cual si tú me llevaras,
yo que tanto te amo porque tanto te niego.

Así hablaba Zaratustra

¡Haceos duros! ¡Luchad contra la vida
Sin acordaros nunca de la muerte,
Firmes y en pie después de la caída,
Sereno el corazón, el brazo fuerte!

Que vuestro impulso sea el que decida
Sin que dejéis resquicios a la suerte,
Y, si lográis vencer en la partida,
Pisotead a quien rodara inerte.

¡Destruid!... Y que bajo vuestra mano
El fermentar del devenir se sienta...
Destruid, violadores de lo arcano,

Y engendrad el Futuro en la tormenta,
Que el fruto ya vendrá... ¿Sabéis su nombre?
¡Humanos, yo os anuncio el Superhombre!

Diálogos de lo Infinito

Amor –¿Qué causa tienes para estar triste, hermano?
Dolor –Duras tan poco, Amor. Quedo yo luego.
Amor –Cierra los ojos al pavoroso arcano.
Dolor –Tendría que ser niño y como tú estar ciego.

Amor –Doy la alegría con que a soñar me entrego.
Dolor –Bajo tus élitros plasmas, Amor, lo humano.
Amor –Como un gran río en mi onda azul lo anego.
Dolor –Sin horizontes lo entras en mi oceano.

Para infundir la dulce virtud de mi quimera,
dice el Amor, soy savia de toda primavera.
Eres la linfa, pero yo soy la eterna fuente,

dice el Dolor. Soy surco cuando eres la simiente;
y cuando a tus caricias el abismo se aurora,
yo soy el pensamiento, tú mi mano creadora.

La marejada

[Los Escolapios]

Eran plácidas horas de sahumadoras calmas
Allá en Los Escolapios, bajo las noches bellas,
Cuando tu voz oía entre el rumor de palmas
Como en un sortilegio de lejanas querellas.

Ya no te escucho nunca: soy como tantas almas
Sin rielares de luna y sin oro de estrellas,
Sin la sombra infinita que en tus magias ensalmas,
Y, oh Señor, sin el sueño todo luz de tus huellas.

Ya ni tu voz recuerdo, porque me falta ahora
Aquella fe sencilla con que escuchaba otrora
Tu voz entre las palmas transido de emoción.

Era el mar en la playa tu voz allá en Cangrejos,
Era la marejada rompiendo allá a lo lejos,
Hoy es la marejada dentro de mi corazón.

Venecia

No "El Gran Canal" de argento. Surcaremos, amada,
la noche del romántico canalizo escondido,
y en él habré de estrellas las dos de tu mirada,
y por rielo el leve luar de tu vestido.

Ven al tibio recodo, entre viejos palacios
que la ojiva decora y Bizancio ha florido,
y al dogal de los tuyos, Dogaresa, en mis brazos
te he soñado en la niebla de un fanal adormido.

Disfrutemos el minuto más bello en la hora
que ha de ser pronto véspero cuando apenas es aurora
mientras guiña a millones farolillos el Lido.

Y en tan viejo escenario que nuestro amor retoca,
sea el rojo farolillo de mi fiesta tu boca
y única barcarola tu corazón en mi oído.

La rubia del cine

Cuando me miras hago como que no te miro
aunque mis viejos ojos no hacen más que seguir
la ebriedad embrujada y el luminoso giro
de tus pupilas jóvenes bañadas en zafir.

Cuando te alegras, toda tu núbil gracia aspiro
difundida en las sombras de tu rojo reír,
y me quedo soñando y tan hondo deliro
que en mis labios tu risa me parece sentir.

Cuando estás descuidada en robarte conspiro
pero, ¿cómo ganarte si ya hay nieves en mí?
si por más que te lleve a ignorado retiro

y te ofrende las rosas más hermosas de abril,
no me darán tus labios su amoroso suspiro,
ni sentiré en mi pecho tu corazón latir.

Adiós

Ahora que tú has matado nuestro romanticismo,
mis quejas no tendrían ni fuerza ni razón,
y por eso las guardo adentro de mí mismo,
ocultas en mi pobre sangrante corazón.

No habrá nada que te hable de aquel mi fanatismo,
ni nada que te reviva lo hondo de mi emoción,
y quedará tu nombre para mi fetichismo,
más que como una gloria, como una tentación.

Ya no estarán mis ojos de los tuyos posesos*
y mancharán mis labios el carmín de otros besos,
y El Tiempo (buen amigo), me enseñará a olvidar.

Proseguirá mi vida monótona, cansada,
pero a veces, del fondo de mis sueños, Amada,
cruzarás mi amargura como un águila el mar.

---

* El poeta también escribe este terceto de la siguiente manera:

Ya no estarán mis ojos de los tuyos posesos
y será para otros el carmín de tus besos,
y tú tan locamente conjurarás amar.

A una hebrea

No sé tu nombre, pero eres la Melodía,
y el ritmo de la vida nace en tus leves pies,
y eres todo El Pecado de la New York judía
por entre la atrayente serpiente de Broadway.

Tu traje es una limpia frescura de alegría
que fluye de tu breve cintura sin corsé,
para moldear en tules de azules fantasías
la divina blancura que libertó a Friné.

Y aún bailas hondamente como bailara un día
"La danza de los velos" tu hermana Salomé,
cuando pidió al Tetrarca, que un reino le ofrecía,

la muerte del Bautista, y enamorada de él,
entre las magas manos, sangrante todavía,
ciñó la trunca testa, y... la besó después...

En Santa Marino

Novia de las rubias trenzas y fablar cantarino,
que dulcemente hondo me enseñaste a querer
con tus azules ojos y tu aire campesino,
¡oh rapaza de Asturias! llenas todo mi ayer...

Y a pesar de los años hoy aún te imagino
como cuando esperándome te ponías a coser
bajo el árbol del huerto vigilando el camino
por donde yo llegaba hacia el atardecer...

Si encontrara la mágica lámpara de Aladino,
el tiempo recorrido haría retroceder
para ser nuevamente de tu amor peregrino,

Y allá en Santa Marino de pronto aparecer;
pero tan lejos, novia, me ha llevado el destino
que nunca más en vida he de volverte a ver...

Oración

A María Aboy Longpré

En la intensa pasión que me devora
hay, más que amor, la ciega idolatría.
La religión, sin dogmas, es María
quien mis locos ensueños atesora.

Una limosna este *creyente* implora
de tu mirada clara como el día...
Mis tinieblas su luz disiparía
como a la noche resplandor de aurora.

Quiero honores, riquezas, poderío,
quiero que el mundo sea todo mío,
y solo contra todos lucharé;

Y cuando, como un rey, muera de hastío,
 el Estado sujeto a mi albedrío,
por la sonrisa tuya cambiaré.

Ocaso

Te ha dorado el otoño como fruta sabrida
y, al trocar en recuerdos tus hechizos mundanos,
abre tersos remansos en tu río de vida
y en un rielar de luna peina tus rizos canos.

En tus ojos la lumbre se ha quedado dormida
al calor del rescoldo. Ya no hay brillos tiranos
sino el dulce crepúsculo de una luz desvaída,
y son menos divinos, pero son más humanos.

Y en vez de aquel delirio de amor, entristecida,
no gusta ya tu boca de mimos casquivanos
sino de melancólicos besos en despedida.

Y desfilan tus sueños vernales tan lejanos,
y el implacable invierno se acerca, pavorida
la belleza en derrota se refugia en tus manos.

Auto de consagración

a Luis Llorens Torres
en ocasión de su fallida gira
por los países americanos

POR CUANTO, de sus versos resultara evidente
que Luis entre nosotros es verbo y corazón,
y como su Poeta lo aclamara la gente,
y todo Puerto Rico le ha ofrendado su amor.

POR CUANTO, su palabra, del Arte clara fuente,
troquela nuestros sueños en inmortal canción,
y él será por las rutas del Nuevo Continente,
en las patrias hermanas, lírico embajador.

POR TANTO, decretamos que engaste en su poema
el dolor de la isla, cual la sangrante gema
del indiano tesoro que Colón dio a Isabel...

Y porte como cédula real el peregrino,
la gloria de su nombre miriado en pergamino
Y en la espaciosa frente, corona de laurel.

A...

Luz, de mujeres ejemplar funesto
Que de sombras el alma me has sembrado;
Luz, níveo campo a los males presto
Que en apariencia es de bien dechado.

Ingrata a quien mis ojos se han propuesto
Adorar sin temer lo que ha llegado.
Oh dulces esperanzas, cuán opuesto
Ha sido al fin el fin, cuán no esperado.

Mata un desdén, asombra una existencia,
Celo su néctar del amor lo amargo,
Mas no importan las penas que la ciencia

De la vida me dan, si del letargo
De amor me despertare la impudencia;
De ese favor os tengo que hacer cargo.

Antonio José de Sucre

América hispana tu figura mira,
de la talla heroica del Libertador,
y tu malograda juventud admira,
que en aciaga hora tronchara un traidor.

Pero no es al mílite que loar aspira
esta pobre ofrenda lírica en tu honor...
¡No la gesta bélica!... Mi verso lo inspira
tu piedad sin límites, más que tu valor.

¡Que noble la sangre que tu vena ha henchido!,
cuando tantas veces, Mariscal temido,
trocaste ofensas en cristiano amor...

Y más que en tu acero... ¡qué temple en tu alma!
cuando has alcanzado del Mártir la palma,
ya que no pudiste ser el Redentor...

¡Eureka!

Leitmotiv de mi espíritu, lumbre que tan adentro
así de mí se esconde que no la puedo hallar,
vestidura que aguarda desnudo el pensamiento,
alas en el perenne anhelo de volar.

En las febriles horas de mis insomnios siento
cuando contra mis sienes bate mi interno mar
por las reconditeces de mi abismo el portento
de un fulgor que se apaga sin que llegue a alumbrar.

Oh dolor implacable, me figuro agobiado
bajo el peso de un grito de creación que ha plasmado
en desfile de sombras que no logro vencer,

Y viniendo directo de la prístina fuente,
todo el mar de lo ignoto me lo rompe en la frente
en el único instante en que debe nacer.

La veleta

No le encierran normas de doctrina alguna.
A veces es laico, mas nunca seglar;
y, sinceramente, tiene la fortuna
como la veleta, de girar, girar...

Mi espíritu ecléctico los Credos aúna;
mas de todos duda sin querer dudar:
distintos señuelos, la añagaza es una;
con el mismo juego, diverso cantar.

Como la veleta... tan volublemente
como la veleta, de Oriente a Occidente
girando, girando mi espíritu va...

Y por el camino bebe en toda fuente
sin saciar su inmensa, su gran sed ardiente,
que sin ser eterna, sabe a eternidad...

El Ideal

En la lírica jaula de los catorce versos
te ofrendo, madre Eva, el ave de "El Ideal",
azul, cual los zafiros en tus ojos inmersos,
rojo, como la herida de tu boca sensual.

Duermen en su garganta cánticos tan diversos
que la tonada es sabia siendo sentimental,
y hay en sus paroxismos hondos ritmos perversos
que le enseñó en el árbol la serpiente del mal.

Y, cuando el pico abre para exhalar su vida,
quien le escucha parece que de todo se olvida
en la suprasensible ascensión hasta él...

Y hay un batir de alas y un imposible anhelo,
pero cierra el camino en la puerta del cielo
la flamígera espada del Arcángel Miguel.

Eva

Tú que en juventud estás,
y en belleza y en amor,
¡cómo tu perfume das,
gaya flor!

Por ti, naciente, fulgura
la vida en luz de quimera,
emulando en tu ternura,
primavera.

Y formas con los colores
del iris de lo ideal,
de las almas de las flores,
la carnal...

Con qué misterio en la umbría
surges, albo resplandor,
mientras llora melodía
ruiseñor.

Eva en tu mágico Edén:
perla, nieve, oro y añil
de cielo lavado en
claro abril.

Lo está en ti: la belleza
del paisaje y la canción;
y eres tú quien despereza
la ilusión...

El aire, el árbol, la fuente
y el ritando verde mar
te escucharon, de ti ausente,
suspirar.

Y al ver que no estabas sola
¡oh proceloso candor!,
te tiño en rosa la ola
del rubor...

Aun frágil y esquiva, ¡no!,
das a quien tras ti se afana,
pero el Edén nos costó
la manzana...

Y aunque tuvo la serpiente
culpa de tu rebelión,
¡cuánto tu mordisco siente,
corazón!

Eva eterna. ¡Oh alegría
que compensa el loco afán!
¡Cómo te completaría
con Adán...!

A las pupilas de Rosa

Ojos azules
de límpidas miradas,
ojos color de cielo,
he visto vuestras rojas llamaradas:
Nobles, divinos gules,
y, en campo de azur, el ala de un anhelo...

Ojos que miráis muy lejos,
ojos que sois dos
espejos
que retenéis los
reflejos
de la sonrisa de Dios;
ojos alucinantemente claros
como los círculos de un mágico rito,
sois unánimes aros
de un único infinito...

Ventanas al mar abiertas,
misteriosamente despiertas,
en que asoma a la vida
un alma enamorada
por la lumbre interior iluminada...

¡Oh las pupilas de la Presentida,
que hablan en luz para no decir nada...!

Diana

En la sombra serena
reaparece en escena,
pálida y atisbadora,
como una rara humana,
la señora Diana.

Todos la conocen. Por si hay duda alguna
diré que es La Luna.
La señora Luna lleva mucha prisa
como una tapada
toda recatada.
No se ve que anda pero se presiente.
Y en la cristalina pupila del lago
la señora Luna
riela una trama
de estambres de luz urdidos en un tinte vago,
y parece el espejo de sombra,
todo de plata florecido
como si sobre una negra alfombra
los azahares de una novia se hubieran esparcido...
¿Qué tendrá la Luna que no se detiene?
¿Hacia dónde marcha? ¿Desde dónde viene?
Vivir a la angustia de un querer distante
y, soñando siempre, buscará a su amante,
y en la noche enciende clara lumbrarada
por sentirse toda ella una mirada...

No sé... pero gotas de su lloro frío
tiemblan en mi mano.
(Las gentes vulgares lo llaman rocío)
Y en sus luminares hay melancolía
digna de la mía,
que por algo tiene casi cara humana
la señora Diana.

En el cielo nácar de la madrugada
guiña su mirada
un áureo lucero,
hasta que en Oriente
el viejo guerrero
leva lentamente
su rodela ardiente.

Duda

1.

Seré tenaz, pues en querer tan fuerte
un imposible aguija mi deseo.

2.

Sí, ahora soy feliz pero preveo
que he de llorar al verte.

3.

El tiempo me dirá si es desvarío
este temor que atrofia mi alegría.

4.

Nada es eterno... ni el amor, bien mío,
que es en la eternidad lumbre de un día.

5.

Sí, es bien extraño... cuando lloro, río
y a veces cuando río, lloraría.

Fe

¡Al remo, compañeros!... Ancha estela
deja en las ondas atrevida quilla.

¡Bogad, siempre bogad! El barco vuela
del espacioso mar hacia la orilla.

¡Tended al viento ya la nívea vela
y cerrad fuertemente la escotilla!

¡Al virar a babor recio abroquela
aunque al bauprés la racha hiciere astilla!

Implacable, magnífica, iracunda
rueda la tempestad; sus alas tiende
y de espumantes olas le circunda.
Con rudo golpear el barco hiende,
que de montañas líquidas inunda...

¡Aún podemos llegar si Él nos defiende!

La última aventura
[La novia]

Tengo una cita con La Muerte
y, de seguro, no he de faltar.
Siempre he tenido mucha suerte,
y esta conquista es de envidiar.

Iré a la cita bien vestido:
de guante blanco y frac; también
el sorprendente clac caído
sobre la cera de la sien.

En el dogal del alto cuello
bailará cómodo el cogote.
Sin panza ya, seré tan bello
como lo fuera Don Quijote.

Y como haré de enamorado
sin que me lata el corazón,
dentro del traje muy holgado,
ha de crujirme el armazón.

Está a la reja su figura,
en la calleja sin salida,
y dura un poco la aventura,
un poco más que nuestra vida.

Mirad las manos de la cuitada
ondulando leves y frías;
mirad su alma de enamorada
asomada a las cuencas vacías.

Sentid cómo sopla el viento
de los reinos del no ser,
oíd el requerimiento
misterioso: es de mujer...

De una mujer tan divina
que su elegancia no viste
de afeites, y no camina
para no dejarnos triste.

Y oigo su voz toda premura
tan sollozante de pasión,
que hay un dolor en su dulzura
que me satura el corazón.

Los insípidos gordos labios
de nuestras zafias podéis gustar,
yo gustaré los labios sabios
de la que es única para besar.

Labios de sueño y de ceniza
de una incitante boca impura,
que apenas besan y hacen trizas
y siendo luz son noche obscura.

Adiós señores, que me espera
y ni yo mismo sé quién es,
pues solo sé que en su manera
de amar no hay antes ni después.

Nihil novum sub sole

Sé incauta cigarra
no próvida hormiga...
¡Vibra y ama!... Desprecia la muerte,
estrofas viriles cantando a la vida,
estrofas de acero, de urdimbre inquebrable,
que azoten al viento con ruda caricia.

Rompe el molde, el ritmo de antaño, la vieja armonía;
ábrete nueva senda
por la selva sombría,
y sé luz, todo luz cual si la aurora
por tus ojos mirase hacia la vida.

No busques, no indagues y sueña
y ríe del sueño con honda ironía;
una cosa es verdad: que esto huye;
lo demás está envuelto en neblinas.

Deja al tiempo volar sin recelos
que en la muerte la vida germina...
¡Qué importa ser nube, o flor, o rocío,
o labios de virgen, o luz que titila!

¡Vibra y ama! lo eterno
no es el yo que un instante palpita;
lo eterno es el todo, diverso, inmutable
que es vario y es uno, que es noche y es día.

En pago...

Boga en la humana galera
hacia el reino de la muerte,
y ayuda –pues eres fuerte–
al que remare a tu vera.
Boga como quien tuviera
el alma al bajel unida,
y –al terminar la partida–
tu corazón lacerado
será un bloque cincelado
por los golpes de la vida.

Caupolicán*

---

* El poeta anota en el manuscrito el nombre Caupolicán al terminar el poema. Éste fue un guerrero araucano a quien Rubén Darío le dedicó un soneto.

Mujer

Poeta o loco soñé
con arcilla moldear
a mi modo una mujer
que al ser un ser de mi ser
fuera una loca en amar.
Pacientemente empecé
el frágil cuerpo a formar,
mas sin cabeza dejé
mi obra o sueño, pues no sé
si en hacer todo es soñar.

Sádica

Quiero perderme en tu amor
Proceloso como el mar,
Nuestros cuerpos macerar
En las ansias de mi ardor;
Quiero gustar el dolor
De tu erótica torsión,
Y trémulo de pasión
En mi sádica locura,
Quiero darte la amargura
De morderte el corazón.

Amor

Vibración infinita
que nos habla crujiente
del poema simiente
que en los mundos palpita;
ondulación que agita
la pavorosa nada,
y en la sombra increada
las esferas fulmina,
y en el rayo culmina
de tu intensa mirada.

En la Brecha

(versión 1)

¡Lucha, lucha empedernido
frente a frente de la vida!
y las derrotas olvida
si el honor no has perdido;
la victoria siempre ha sido
de los nobles corazones
que en el trueque de ilusiones
por escuetas realidades
domeñando tempestades
han templado sus acciones.

(versión 2)

¡Lucha, lucha empedernido
frente a frente de la vida!
Y que tu saña no impida
darle la mano al caído;
la victoria siempre ha sido
de los nobles corazones
que en el trueque de ilusiones
por escuetas realidades
domeñando tempestades
han templado sus acciones.

Arcadia

Rebaños, rebaños... ¿Donde vais, rebaños?
Sin preocupaciones, oh que dulce vida,
y entre la pereza del rosario de años,
siempre sois rebaños,
montones de carne de que alguno cuida.
Rebaños que antaño perros ladradores
juntaron en una senda conocida,
esa misma senda cubierta de... flores
la siguen ogaño los mismos rebaños,
los mismos podencos, los mismos pastores.
¡Oh qué redonditos, limpios y lucientes,
bajo los lustrosos y afilados dientes
de los probos perros, y el pastor callado,
qué grande, qué duro y qué bien tallado!
Rebaños, rebaños que abonáis la Era
bajo el mismo cielo. La verde pradera
palpita de hierbas. Comed confiados
que están al atisbo los nobles pastores,
y los perros probos ahuyentan los lobos,
y si hay lana llegan los trasquiladores,
y si hay abundancia y a la mano acero...
rebaños, rebaños para el matadero.

Evangelización

Van los indios en haces a los áureos filones.
Laten apretujados miles de corazones,
y muy cristianamente, nuestros nobles abuelos
ciñen sendas espadas bajo los ferreruelos.

La Cruz abrió los brazos y fue cristianizado
el pueblo indio, que fue una gran provisión
porque aunque desaparecieron tan de sopetón...
todos se han salvado.

Retrato

Este poeta borincano
que te presento aquí, lector,
es de estatura casi enano
pero de alma, ¡no señor!
Corto de vista, ve lo humano
tras de sus gafas de color,
pero estará muy pronto cano
y verá menos y mejor.
Firme el andar, diestra la mano
y tan forjado en el dolor,
mas predicarle será en vano
pues no se cura a un soñador,
aunque yo creo que está sano
porque podría estar peor.
Sueña las musas en camisa
y, en transparencia, lo carnal,
y su canción les improvisa
toda música celestial.
Anda abundante de sonrisa
y de dineros anda mal,
pero no importa: tiene prisa
y si no llega le es igual
pues no le pone cortapisa
a su gran fuerza vital;
pero eso sí, dice su misa
en su imponente catedral.
Tal el tipo y la divisa
de Toñito Coll y Vidal.

* * *

Mostró al descuido su torneada pierna
que el hada de los sueños modeló,
y al descuido también me besa tierna,
y distraída su corpiño abrió;
ebria de amor, comedia sempiterna
de locura amorosa comenzó.
A mis pies Margarita se prosterna
y al levantarse me llevó el reloj.
Oh Margarita, dije, si quisieras
con champán terminará la función;
aquí tienes dinero, di qué esperas...
trémula, acariciante, se despide
y cinco pesos con tal gracia pide,
que prometo enviarle cinco mil;
pero ella de promesas desconfía
y en sus manos de rosas esgrimía
un puñalito de oro y de marfil.

Inés

Inés, perdona si ayer
cometí la indiscreción
cuando el desmayo de ver
ciertas cosas sin querer
y otras con sana intención.
De si caté o no caté
no te preocupes, Inés,
porque te juro no sé
si el recuerdo sueño es
o mi gloria sueño fue.
Pero si tu honor requiere,
el olvido te aseguro,
que aunque 'represe' consiguiere,
en mi memoria habría un muro
entre lo que fue y fuere.

Fue como un mar mi alegría
en lo inmenso, aunque muero
de pensar por qué en un día
llegas casi a la agonía
sin pasar del casi. Pero
una razón, Inés, te mueve
a decir que es loco un cuerdo.

Yo soñaba, ¡sueño breve!
Sí, fue un sueño entre la nieve
y es un volcán el recuerdo.
Falso honor tu honor requiere,
y el olvido te aseguro,
que aunque 'represe' consiguiere,
en mi memoria habrá un muro
entre lo que fue y fuere.

* * *

Cada día
se lleva una alegría
y trae algún dolor;
pero en lontananza
enciende esperanza
nuevo resplandor;
y hacia allá marchamos
sin saber que vamos
de mal en peor.

Juventud dejamos
¿pero qué adquirimos?
"ahora somos amos"
ufanos decimos.

Realidad... ¿qué vales
si tan cara sales?
pues si bien se mira
mejor es mentira
que nos adormece
cerca del abismo
y aunque es espejismo
realidad parece.

El amor, la gloria,
sueños delirantes,
parece otra historia
y es la misma de antes;
igual entusiasmo
e iguales desvelos

. . . .*
los mismos anhelos.

Y de la experiencia
no digamos nada...
tan inútil ciencia
nunca al fin lograda,
y somos tan torpes
que a fuerza de golpes
sí aprendemos, luego
nos cambian el juego
y aunque ayer llovía
y hoy hace buen día,
no diferenciamos
si llueve o escampa
y siempre rodamos
en la misma trampa.

---

*Verso ilegible en el manuscrito.

–día de duda–

Alma, no temas que el maligno imperio
Sus negras alas tienda sobre ti,
Que irán las tuyas de uno a otro hemisferio
Sin más imperio que el que existe en mí.

–ni frío ni calor, ¡airados ojos!–

Muerte me dieran tus ojos
Si morir mi intento fuera,
Hoy víctima de mis antojos
Ni tu vista me da enojos,
Ni tu muerte me los diera.

–a una que va a hacer de un cortesano un desnudo–

Te has casado María Inés
Olvidando mi ternura;
Olvidar también procura
Ciertas cosas.... María Inés.

–carta escrita sobre un billete de banco–

Señora: Por un amigo
que suele ser indiscreto
he sabido hoy el secreto
que os obliga a cuanto digo
no hacer caso. Fácil es
remediar esta desgracia

si os cayera más en gracia
el amor con *interés*.

–**juega con muñecas y empieza a jugar con los hombres**–

Te envío, Margarita, una muñeca
de ojos azules, de cabellos de oro,
ella a tu oído mis recados lleva
que de sueños de amor guardan tesoros.

–**preparando un rompimiento por cansancio o muerte alevosa**–

Templo de amor, locura del pasado,
Luz que mis ojos por seis años vieron,
Cadena que mi cuello ha destrozado,
Ansias del corazón, sueños que fueron.

Dulces promesas por mí mal creídas
Pues va en mi juventud todo mi daño.
Horas de amor... al fin horas perdidas
Aunque me dais la ciencia en el engaño.

Todo ha pasado ya, mi buena amiga,
Demos paz a este amor que se nos muere;
Fue tan *puro*, infantil, Dios le bendiga,
Y el olvidarlo pronto nos tolere.

–**responso y miedo**–

Que en la amorosa historia no domine
Ningún recuerdo amargo la memoria,
Guardando los secretos abomine
De las venganzas alcanzar la gloria.
Sea todo paz en el marchito campo
Donde descansan los caídos sueños;
Guarden las almas puro como un ampo
De nieve, el fuego de que fuimos dueños.

–ir por lana...–

Señora, si os disfrazarais
de mujer honrada a fe
que sólo vuestro marido
os pudiera conocer,
pero en el traje, Señora,
de lo que sois cuantos ven
vuestras acciones a ciegas
os señalan....con el pie.

–una sortija vino de no sé donde
y yo me fui a no sé qué parte–

Mi bella Margarita: Adiós te digo
porque en cuestión de amor quiero ser *uno*,
Y en tu granero hay clase de trigo
A la que yo no auno.

–va de posta–

P ¿Pudiera ser señora que mi sueño
U Una vez engendrado, muerto fuera?
T ¿Tanto me obliga amor siendo mi dueño,
A Ángel en la pureza? Quién me diera
P para templar mis ansias tu dinero;
U Usurero de amor convertiría
T Tus desdenes en oro por si un día
A Alcanzase a *pagarte*, que lo espero.

(Sin título)

No jures que has de amarme eternamente,
Que en amor es mejor lo pasajero;
Yo quiero amor vehemente,
Y después el olvido es lo que quiero.

(Sin título)

En este mundo, albergue de mentiras,
quien ve mejor es ciego,
porque, Leonor, es falso cuanto miras,
y así en amor que veo
y cato sin cesar, no siempre creo,
aunque el tuyo no niego
por ser más liberal que himno de Riego.

(Sin título)

No estés tan inquieta, Inés,
ni vuelvas el rostro atrás,
porque, amiga mía, vas
por donde marchan tus pies.

A un héroe

Tú siempre tienes razón
y yo estoy equivocado,
por eso te hallas lisiado
soberbio hermano león.
Aprovecho la ocasión
de decirte que has logrado
gloria, honor, admiración,
y ahora que el riesgo ha pasado
bastante mal remendado
vivirás en un sillón.

A...

Ya os comprendo... ¡Pobre esteta!
Tomad, tomad la barreta
Que arrancara de mi veta
El oro de mi canción.

Pero sé que en la behetría
Toda la chusma os tenía
Por un pobre garañón;
Qué vergüenza, quién diría
Que a vos rascaros vería
Contra mi alto blasón.

Mas coceadme inclemente
Y sobre todo, en la frente,
Tenéis sobrada razón,
Porque vuestro odio siente
Que anda corta vuestra mente
Para mi larga intención.

Paz, hermano

Humildemente me quedo
enfrente de tus desmanes,
y opongo a tus ademanes
heroicos, mi heroico miedo,
y la victoria te cedo
y te aplaudo triunfador,
pues víctima o victimador,
me es igual, porque el vencido
nada al fin tiene perdido
ni ganado el vencedor.

III. Fragmentos y poemas incompletos

1.

A la vida despierta, compañero,
prosigue tu camino
y no descanses, que la muerte llega
y puede sorprenderte, peregrino,
sin que tus ojos penetrantes vean
el abismo insondable de ti mismo.

2.

¡Llagado pordiosero... ¿qué sabes de la vida
si nunca de la lucha tornaste vencedor?
Llagado pordiosero que tienes por egida
un báculo podrido, por estrella el dolor...

3.

Tu misión es sembrar: Próvido lanza
al surco la prolífica simiente,
sereno el corazón, alta la frente...

4.

Forzado de la vida que navegas
hacia las negras playas de la muerte,
dime si en tu bajel hay quien advierte...

5.

No indagues, no preguntes con ansiosa mirada
cómo serán los ojos de tu desconocida,
si ella es tu propia alma que dentro de ti anida.

6.

Desierto sin oasis fue mi alma,
mar sin orillas fue mi pensamiento:
era en mí que faltaba el sentimiento...

7.

Como un arroyuelo de lenta corriente
que hacia el mar se arrastra silenciosamente,
así va mi vida;
azul está el cielo y está el agua clara
y se baña en ella la luz de una estrella;
así va mi amada,
la nunca lograda.

8.

Hermano peregrino, descansa; la jornada
ha sido larga y dura como una mala vida.
Descansa, y en un sueño tus amores olvida,
porque es sombra de un sueño la sombra de tu amada.
Y es un dolor de siglos, de onda melancolía,
alma de algún paisaje enfermo y desolado...

9.

Nada importa la vida si el amor no la llena
de punzantes dolores y de loca alegría,
de sentir el imperio de una rubia o morena
de ojos negros o claros cual la noche o el día.

10.

Dónde estará la hermosa razón de mi existencia,
que misterioso ensueño la hará palidecer,
que me dará la dicha que nunca conocí...

11.

Repechando selva virgen en las cumbres como olas
perpetuaron sus estelas las galeras españolas.
¡Así fue que Vasco Núñez las llevó de mar a mar
y las hizo por encima de los Andes navegar!

12.

Ahora estoy en uno de esos instantes débiles
en que sin lucha rindo mi fortaleza,
y hay desgano de vida para mis miembros flébiles,
y para mi cuerpo una dulce pereza.

Tengo el miedo del niño ante la selva oscura
poblada de visiones, de duendes y de endriagos,
y un sopor invencible me repta la figura
y se enrosca en silencio dentro mis ojos vagos.

13.

Espera, que en tus brazos al fin de la jornada
he de hallarme, y en ellos, eterno prisionero,
recordaré los sueños de nuestro amor primero
al sentir la caricia de tu intensa mirada.

14.

Estoy ante el mar que ronca sus sueños milenarios
plenos de azul, de espumas, de nieblas, de rumor;
infinita amargura bebedora de estuarios
de dulces aguas que le calmen su amargor.

15.

Es pecadora; fuma y bebe
y sus ojos claros miran a través del humo.
Ella a todo se atreve.
¡Yo ni siquiera fumo!

Ha pasado rozándome en su vuelo
en el cadencioso giro del fox-trot,
y apenas puedo contener mi anhelo,
¿por qué?, ¿por qué?, ¿qué sé yo?

16.

Se conoce, María,
que es frágil tu memoria
en cuestiones de amor. Vives al día
repartiendo migajas de tu gloria.

17.

Dónde estarás, mi bien; siempre te veo
y no alcanzan mis brazos a abrazarte.
Eres delirio que forjó el deseo,
siempre lejos de mí sin alejarte.

18.

Donde quiera que estoy estás conmigo,
delirio que forjó mi fantasía,
quiero huir, y al huir siempre contigo
formas parte de mí y no eres mía.

19.

Nadie pudiera imaginar mi sueño
diáfano y puro como el alto cielo,
nadie tuviera más divino anhelo
que el infinito de que yo era dueño.

Qué noble audacia, qué sublime empeño,
qué sed de vida, qué inmortal desvelo
diéronme alas en tan loco vuelo
a través de la vida del ensueño!

20.

Antes que la noche cierre definitiva
y entres en la inconsciencia del gusano roedor,
da melódica y sabia toda tu carne viva
a la dulce amargura del engaño de amor.

No el laurel de héroes... Toma el ramo de oliva
para ceñir tu frente, ¡oh mortal gozador!

si tus rosas carnales amoroso cultivas
limpias de las pungentes cizañas del dolor...

21.

Vibre mi lira la canción de guerra,
con estruendosos acordes sonará,
y al bronco grito mi riqueña tierra
libre del extranjero se verá.

22.

Cantar, cantar cual si fuese
toda lira nuestra alma,
siendo, entre hormigas próvidas,
la más incauta cigarra.

23.

Pierrot con Colombina sueña,
Y Colombina sueña con Pierrot,
Y despertando ella se reía,
Pero Pierrot al despertar lloró.

24.

Mi patria la llevo dentro
en lo más hondo del alma
sin que fronteras la cierren,
sin que se halle limitada
por el cauce de amplio río
o por un mar de esmeralda.

25.

Posesión... cómo matas el sueño,
qué tristeza, viajero, al llegar,
cuán amargo sentirse ya dueño
y qué dulce otra vez comenzar.

26.

Hija, no quiero nada sino verte a mi lado,
y, mientras hago versos, escucharte reír,
yo absorto en la manía del aconsonantado,
y tú con la cordura alegre de vivir.

jugar con tus muñecas mientras juego a escribir...

Hija mía...
¡qué pobre soy de palabras suaves que te digan mi amor!

27.

Te esperaba, mujer; Yo bien sabía
que por extrañas fuerzas impelida
tu vida fundiríase en mi vida
en esta sensación de lo Infinito.

Te esperaba, mujer; No sé quien eres
pero mi corazón te presentía,
siglos que sé has de ser mía,
mi parte en el reparto de mujeres.

28.

En qué misterioso paraje perdido
te encontré soñando, mi bella durmiente,
a la fresca sombra del árbol dormido
sobre el ritornello de la clara fuente.

29.

Para tu dulce boca, para tus ojos claros,
para el caudal enorme de tus cabellos de oro,
mis líricas melenas y el humilde tesoro
de mis ojos oscuros y mis labios avaros.

30.

Diosa de mármol... en las amplias formas
níveas y blandas como virgen nieve,
en las altivas y rosadas pomas
que al fuego de los besos se estremecen,
mi juventud perdí. ¿Qué menos, Diosa,
pude ofrendar al verte?

31.

Sus negras sombras, fulgurantes ojos
lucen veraces en la tez de nardo
e hirientes lanzan el agudo dardo
sobre las almas en celajes rojos.

32.

Ven a llenar mi copa de amargura;
torna mujer a lacerar mi vida
y abre otra vez la penetrante herida
que hiciérame el puñal de tu impostura.

Ven a clavar puñales en mi herida
fingiéndome suavísima ternura:
en tus voraces ojos de perjura
quiero leer la falta cometida.

33.

Ya nada puede interesarme. Nada
hay para mí desconocido en ella,
ni logra remedar la noche aquella
su carne por mi carne macerada.

En la holgura del lecho rebujada
junto a mí, isocrónica resuella,
y somos, por el asco que nos sella,
dos odios que meditan en la almohada.

34.

Sueños míos, negros sueños,
cuánto al fin me hacen llorar;
muy tiranos son mis dueños,
y, en lo amargo como el mar.

35.

Triste y solo por el mundo
Voy rodando sin cesar,
Y es mi ciencia en lo profundo
De las almas estudiar.

36.

Siente María llegar su última hora
Y mira, entrando por la celosía
De ojivo ventanal, la clara estría
De la rosada mano de la Aurora.

Tosiendo se levanta, la luz dora
Con vívidos fulgores su agonía,
Y al sentirse morir, llora María,
Casto lirio que el sol auricolora.

37.

Tal vez tú, roja Antares de pupila angustiada,
Vislumbras en la sombra el haz de su mirada
Atravesar los mundos para inundar la Nada,

Cuando, sobre la Noche, en el Silencio vuela,
A la luz de la luna que trémula riela,
Dejando en la Vía Láctea el polvo de su estela...!

38.

Vista en detalle no es tan guapa,
hay algo romo en su expresión,
pero a su hechizo nadie escapa
aunque hechizar no es su intención.

De sus pupilas el soslayo
sólo nos llega a deslumbrar,
y aunque no mira, hiere el rayo
embaucador de su mirar.

Y su sonrisa tan repleta
de sus efluvios de salud,
en perla y rojo es una veta
por donde asoma su juventud.

39.

Es el diablo que has visto, pudorosa doncella
que los dulces martirios amorosos presientes,
es el diablo el que han visto tus pupilas ausentes
en el oro lejano de una dormida estrella.

Es la sombra del diablo que ha cernido su huella
por tus tiernas mejillas, por tus miembros dolientes,
y en la flor de tus labios sus largos besos sientes,
virgen atormentada, trágicamente bella.

40.

Ya que víctima soy de tus antojos,
¡oh triste y dulce y pecadora Eva!
y son para mi sed tus labios rojos
en que mi boca sin cesar se abreva,

Dime señora si tus glaucos ojos
son los que el amor dicen que lleva
siempre vendados, porque cause enojos
sin que a ninguno perdonar se atreva.

41.

Las densas sombras de tus negros ojos
brillan voraces en tu tez de nardo
e hirientes lanzan el agudo dardo
contra las almas en celajes rojos.

Dentro la mía, marañal de abrojos,
vivaz el dardo de tus ojos guardo,
y en locas llamas amorosas ardo
bajo cenizas de tu amor, despojos.

42.

En tanto la hija enreda y la esposa regaña,
yo contemplo la estela de mi vida anterior
y, lejos y tan cerca de la tierna compañera,
mi espíritu contrito dice el "yo pecador".

¡Cuánta novela urdida! ¡Cuánta dulce patraña
para callar el ansia de mi joven ardor!
y, a veces la vergüenza de alguna triste hazaña
en la que puse cuánto más vanidad que amor.

Oh mis tiempos de joven allá en la Vieja España,
en Oviedo la Prócer y en el burgués Jijón,
qué de falsos amores y...

43.

El deseo

Todo efímero, todo, pero inmortal la llama,
este anhelo imposible de jamás perecer,
sed de vida en los ritos secretos de la brama,
inagotable fuente en tus labios, mujer...

Oh celeste Julieta!... sueña Romeo que te ama,
¡y no a ti! sino el futuro que ya pretende ser,
oye deshecha en trinos el ave allá en la rama
en un presentimiento de lo que va a nacer.

44.

Soy tu esclavo, eterna Afrodita,
A tan dulces cadenas sujeto,
Que desprecio al condor que el espacio
Acaricia, las alas batiendo.

No me importan las glorias del mundo
Si contemplo tus ojos, tan negros
Que remedan dos soles que nacen
En las sombras del caos envueltos.

Yo conozco tus pies como lirios,
El talle menudo, de mármol el seno,
Donde sueñan posar la cabeza
Los hombres que quieren la muerte en un beso...

Das al aire, oh eterna Afrodita,
En largas tinieblas el haz del cabello,
...

45.

El humo del tabaco

La realidad se impone, árida, escuetamente...
Un soplo de vulgares apetitos se siente,
Por nuestras negras almas vagar pesadamente
Y ni un solo relámpago nos rubrica la frente.
Es que abundantemente
Preparan la pitanza
A nuestro orondo huésped, señor de Sancho Panza.

Pero a veces el humo dibuja en la negrura
De nuestras secas almas sedientas de aventura,
Los velados contornos de aquella fermosura
Que amaba el caballero de la Triste Figura,
Y de pronto fulgura
La retadora lanza
Del señor Don Alonso de Quijano que avanza...

46.

Oda

al Doctor Vedoquebach

Inspiradora Musa,
Desgrana tus ensueños en mi oído
Y dicta la canción que en el espacio
Ha de ondular por siglos...
Dame grata cadencia
Para ensalzar la vida del perínclito...
Relata sus proezas fabulosas
En un largo dulcísimo gemido.

Nadie más noble, nadie más intenso
Que mi héroe anodino,
Que en enorme silueta se destaca
Del antillano mar en el camino.
Fueran los tiempos de la Grecia ahora
Y una deidad surgiera del Olimpo,
De Hipócrates rival y de Esculapio
El precursor invicto.

47

Tres fantasmas persiguen al hombre,
Jadeante jauría:
El Amor, la Fortuna, la Gloria;
Diversos aspectos de un sueño:
La Dicha.

¡La Gloria!...¿Qué es eso?...¡La Gloria!...
¡Roncar de cañones, suspiro de liras!
¡Miguel de Cervantes!... ¿No fue alcabalero?
¿No estuvo aherrojado?

¿Acaso tenía
riquezas y honores
el más grande ingenio
que en España había?
¿Y Shakespeare, quien era?
¿Colón lograría
descubrir la dicha,
él, que descubriera
la América un día?
Y tantos y tantos que la gloria tienen
en muerte o en vida,
¿no sienten la angustia de hallarse muy solos
en tierras y cielos, abajo y arriba?

¡La Fortuna!... La lluvia de oro;
el mismo camino de igual lejanía.
¡La Fortuna!... La lluvia monótona
que seca y hastía.

¡El Amor!...¿No tiene toda la amargura
de mares internos?
Sin norte ni guía
por él navegamos
y el viaje termina
volcada la nave,
la carga de sueños perdida...
¡Don Juan a horcajadas
montado en la quilla!

48.

Amor, tú y yo somos dignos el uno del otro
porque tú eres la fuente y yo la boca sedienta,
¡oh raudal del ensueño que tan hondo me tienta!
yo, el que sobre Pegaso a horcajadas se sienta
bien asido a los flancos voladores del potro.

Llego hasta ti sediento, entra en mi vida fuente,
esta sed de tus aguas quien tan intensa siente
como el que viene ahora desde la Eternidad,
y atrevidamente
descabalgo y me echo frente a tu corriente
para que me bañes cristalinamente
con la honda frescura de tu agua lustral.

Amor que estás cerca y estás tan lejano,
Amor, diviniza en mí hasta lo humano,
Amor que me llenas espíritu en mano,
te lo ofrezco hermana, te lo ofrezco hermano,
vuestra sed saciad....

49.

Doña Sol, toda llamas. ¡Oh la noble señora
Que se dignó mirarme a sus pies! ¡Oh el amor
Proceloso y furtivo, amor de un cuarto de hora...!
Aún me queda en el alma, sutil y enervadora,
Vuestra caricia... y en mis labios vuestro sabor...

Y tú, mi Carmencita, brutal y apasionada,
Música de organillo, pareja de burdel,
Flor de crimen que cayó deshojada
Por mi mano, mi alma torturada
No olvida su delito ni tu dulzor de miel.

Y tú, Corona, que eras como agreste melodía...
Resuena en mis oídos tu alegre carcajada
Cuando –"te quiero mucho"– trémulo te decía
En la ermita, en el bosque, cerca de la alquería,
O en busca de los nidos entre la pomarada.

Oh mis novias que fueron, tan lejanas ahora.
Oh juventud perdida que no retornas más;

Carmencita, María, Mabel, Leonor, Aurora,
Y tú, Corona, la que siempre en mi alma estás.

50.

Carnes de lirios, carnes espiritualizadas
que muestran los senderos azules de las venas,
carnes con transparencias tan claras y serenas
que dicen lo que sueñan a todas las miradas.

Límpidas, ondulantes nieves inmaculadas
en el delgado talle y en las caderas plenas,
agólpanse formando las albas pomas llenas,
sobre los duros vértices las rojas pinceladas.

Sus manos de purezas liliales acarician
las luminosas trenzas de undívagos enredos,
y como largas peinas, amorosas oficiar
filtrando en las guedejas los marfileños dedos.

51.

Se ha diafanizado un estilo y ahora
no es vibrante bronce ni tambor batiente
sino que, trocado flor de vida, siente,
y, al humanizarse, dolorido llora.

La parda estameña mística decora
su humildad de alma casi toda ausente,
y escuchando el ritmo de la eterna fuente,
bajo los azules insondables ora.

Hay en su plegaria divinos anhelos,
altas aviaciones por los claros cielos
al...

Luego aterrizando de sus aviaciones
en acción de gracias ofrenda canciones
y en la clara pira de los versos arde.

52.

Lema: Batalla

I

Cuánto mancilláis la Historia, cruentos nombres de batallas
revestidos de púrpura como de una clámide imperial,
epitafios de horrores para las trágicas tallas
hechas al golpe implacable de los cinceles del Mal.

Sonoros nombres sangrientos que balbucean las metrallas
en el arrase de fuego de toda fuerza vital,
nombres de sílabas sierpes como silbadoras trallas
que dejan sobre la tierra la degradante señal...

II

¡Ganad batallas, héroes!... Que fúlgidos aceros
tiendan sus firmes rayos sobre la Humanidad,
y entre cárdenas lumbres, que vuestros rostros fieros
destellen duros trazos de implacable impiedad.

Id a la muerte como un río, infantes granaderos,
y vosotros jinetes de una loca impetuosidad...
Defended vuestras vidas, defended vuestros fueros,
Esgrimid los aceros... ¡Matad, Matad!

53.

Ya eres la tierna y grácil, la flébil prometida
que ofrenda la fragancia de su límpida vida
a un mancebo gallardo, príncipe del ensueño,
que ha de sentirse esclavo para llamarse dueño
de tus castas caricias, de tu gracia serena
–crátera de pecados hasta los bordes llena–;
o ya gustas las hieles de trágicos dolores
donde libar solías la miel de los amores,
y vives la tortura de extraños paroxismos
en las foscas tinieblas de los negros abismos,
y en constantes divinos avatares,
padeces la inconstancia salobre de los mares;
y al destacar tu busto de helénica arrogancia
en un garrido gesto de sinuosa elegancia
rubricas la silueta de cálidos perfiles
que enciende en locas ansias los pechos varoniles.
¡Enigma, siempre Enigma! Tu asesina mirada
nos tiende lentamente cegadora celada,
y tu voz se desgrana tan susurrante y leda
que los tenues suspiros de Céfiro remeda,
y nos habla de sueños imposibles en una
cadencia que la muerte con el soñar aduna.
Mis ojos te persiguen, voraces y sombríos,
velando los encantos que nunca serán míos,
y siento los espasmos de las hirsutas fieras
en la quietud contráctil de las largas esperas,
y aunque sueño mis sueños, no eres tú la soñada...

54.

Mabel

Y era como una cinta de plata en los hayales
de la hondonada, el claro reír del agua viva
que desaparece bajo los verdes robledales
para ir por la trama de traidores canales
a morir en la acequia de un molino cautiva.

Cruzamos la campiña cubierta de amapolas
y gualdas margaritas, marchamos hacia el río,
el viento riza el prado y entre las glaucas olas,
juegos de luz remedan las silvestres corolas
y el rebaño parece un blanco caserío.

Y a la vera del río, sobre el césped echados,
fueron nuestros coloquios de un dulzor fraternal,
y aunque tú no sabías de amorosos pecados,
formaban tentadores tus labios purpurados,
el clavel detonante del florido gramal.

Y mientras contemplamos las hondas lejanías
espiritualizadas por los velos de brumas,
oímos el susurro de las cristalerías
del río, y en un claro frescor de melodías,
al agua cantarina tu voz mimosa sumas.

Y bajo el tenue palio de tu sombrilla rosa,
en un largo desmayo de ingenua languidez,
sobre mi brazo el lirio de tu frente reposa
plácidamente, hasta que despiertas ruborosa,
los azules atónitos en tu cálida tez...

Y en el rojo corpiño las pomas prisioneras,
al caer de tus rizos una husada de sol,
se encendieron en llamas tus quince primaveras,
y en tu romanticismo melancólico eras
una muriente tarde tenida de arrebol...

Mabel, la de los ojos anegados y graves,
la del amor sereno, la de la vida en paz...
aún escucho los vuelos de tus manos suaves
sobre el marfil enfermo de las ancianas claves,
y el rumor de tus besos robados en agraz.

Mabel, la blanca y blonda Mabel, de las pupilas
azules cual ventanas abiertas al mar...
era en Erín, la verde, y al son de las esquilas,
veía en la pradera ramonear tranquilas
tus ovejas, y en tus manos venir a ramonear.

Pastora de un Versalles, de una casta fragancia,
no de aquel picaresco que pintara Watteau,
tienes todo el empaque y la noble prestancia
de una altiva zagala de la corte de Francia,
tan altiva y discreta que el rey Luis no logró...

55.

Guiñol Carnavalesco

Mi corazón nunca latió tan aprisa
que cuando en el baile tu disfraz seguí...
era flor de fuego la flor de tu risa
y al vertiginoso voltear, la brisa,
tu tenue perfume llegaba hasta mí.

Fue en aquella clara noche de verbena.
Guiñaron luciérnagas en azul turquí,
y bajo la máscara de la luna llena,
raudas serpentinas cruzaron la escena
y se arcoirizaron confettis en ti.

Carnaval triunfaba y en un vals vertía
su llameante y exultante existir,

y en abigarrados grupos la Alegría
picarescamente bromeaba y tenía
toda la alegría que me falta a mí.

Vislumbré de pronto tu divina gracia:
tu traje era rosa, tus ojos zafir,
y tal tu manera sugerente y lacia
que sufrí la angustia de tu aristocracia
y aún recuerdo ahora cuanto padecí.

En el torbellino, Colombina, eras
una mariposa de alas de rubí.
Ritmaban ensueños tus combas caderas,
y tu loca boca ritmaba quimeras
pintarrajeada de húmedo carmín.

Como gavilanes tu faz sombrearon
mis negras pupilas clavadas en ti,
y hasta tu corpiño raudos se lanzaban
por ver si en su fronda de encajes cazaban
dos blancas palomas dormidas allí.

Colombina, loca de Pierrot reías
en los atrevidos brazos de Arlequín,
y en el sotovoce de una melodía,
un interminable grito de agonía
puso el monocorde de su frenesí.

En el aire vago de la melodía,
más que verte bailar te sentí,
y herido de celos tan dulce sufría
que diera mi vida de lenta agonía
por el solo instante de aquel frenesí.

Colombina, loca sin cesar bailabas,
¡oh pupilas pérfidas clavadas en mí!
cómo toda el alma me cauterizaba
aquel leve rayo de luz que temblaba
como el aleteo de azul colibrí.

En el bar más tarde me senté a tu lado;
era denso el humo del tabaco allí,
y en tu embriagadora nuca apasionado
tan ardiente beso me dejé posado
que con indeleble huella lo imprimí.

Arlequín furioso desafióme fuera
y muy doblegado tu venia pedí,
y aunque te opusiste a que me batiera,
Arlequín furioso no estaba en espera
porque con cederte se vengó de mí.

Tu lánguida mano temblaba en mi mano
y en tu misma copa contigo bebí,
y en romanticismo de algo sobrehumano
se inició el infierno de tu amor tirano
que pretendo en vano arrojar de mí.

Corrieron veinte años y el revés ahora:
Colombina flágil, la chueca señora
del muy barrigudo señor Arlequín,
y deteriorado Pierrot solo llora
la Caricatura que el tiempo hizo en mí.

56.

Hay que esperar...

Hay que esperar: no puede florecer en un día
cuando la oculta mano ha poco la sembró,
pero ya está en el surco, hermano, hermana mía,
ya plantó la semilla la mano del Señor.

¿En los terrones duros, con qué dolor, semilla,
procurarás arraigo para poder vivir?
¿Qué divino anhelo desde la roja arcilla
para llegar al cielo el vuelo que hay en ti?

Sangra la aurora roja, sangra la dura tierra,
y los cuatro jinetes cabalgan sin cesar.
Es la peste, es el hambre, el incendio y la guerra,
por la giba del monte, sobre el trueno del mar.

Corazón de la vida bajo el puño de hierro,
oh qué angustia demente hay en ti, corazón,
cómo pára el latido la estrechez del encierro
bajo el puño de hierro, qué infinita opresión.

Cruza como una fiebre de codicia y de robo,
el Anticristo rubio. ¿Lloras, blondo rabí?
¿Te acercas y le dices: "Salud, hermano lobo",
o desborda tu alma el odio que hay en ti?

O bien tus iras santas despertarán ahora
gemelas de la ira que allá en el templo fue,
y tu mano de lirio caerá flageladora
sobre los mercaderes como en Jerusalén.

57.

Visión de Nueva York

Esta ciudad tan grande y tan vacía de espíritu
y tan monumental
me habla de cosas fuertes y áridas,
de líneas rígidas, de quijadas tenaces,
de manos ávidas
del gozar animal,
de la lucha monstruosa,
de las duras cadenas de lo útil,
y en ciego impulso una implacable soledad.
Esta ciudad tan grande nada dice a mi alma
porque es muy hermosa y muy fría
como la recta de una inflexible horizontal.

Esta ciudad gasta una vida sin vida
en un bullir constante,
y hay placer pero tiene una muy agria sequedad
porque todo se compra y se vende,
todo es negocio... nada más!

Esta ciudad urge una psicología a ras de las calles,
y está enferma de lógica,
de la horrible lógica de los lobos,
y nuevo Argos entra en las aguas
el botalón de su proa
donde se agolpa la codicia,
la Babel de su ansiedad;
nueva Jerusalén, levanta templos
en que los mercaderes se avolean,
y Cartago la Nueva pule las zarpas de sus muelles
en el sonante gris del mar,
y entre banderas de cien pueblos
por el bostezo de sus puentes
fuma los humos incontables de denegridos barcos al pasar,
y en eufonía de cien lenguas
pone la nota siempre en marcha
del chapotear de sus dos ríos
que encapotados en neblinas
como los brazos de un crupier hacia el tapete verde van.

Esta ciudad vence y se extiende
y tiene millones de admiradores:
el "businessman",
ríspido como un regimiento teutónico en pleno "padichap",
y la mujer que habla de amor con labios pintarrajeados
y bandas de cuervos en los ojos,
y la turba rápida flagelada por el anhelo del oro,
y, en el maelstrom de coches y carros y automóviles,
la figura álgida del "policeman".

En esta ciudad no sueña nadie
pero las casas sueñan
y están sedientas de infinito y se empinan para mirar...
¡Las locas de piedra bañadas en azur durante el día
y que se prolongan como dedos luminosos
en la nocturna oscuridad!
¡Los "skyscrapers" que se levantan
desde las paralelas de las calles
y, henchidos y repletos del oro de las luces,
miran desde muy cerca el parpadeo de las estrellas
y rutilan en la nieve de la claridad lunar!

...

IV. Homenajes

Luis Llorens Torres

Pancho Ibero*

A Antonio Pérez-Pierret

¡Pancho Ibero! Tronco de honda raíz ibérica
y encantación de la América española.
Una ola te trajo a las playas de América.
¡Pancho Ibero! ¡Bendita sea la ola!

Tramas la dictadura, pero armas la revolución;
que eres a un tiempo pulpero y soñador.
Y sabes llevar con arte el clac;
pero prefieres tu sombrero de panamá.

Y mientras el Tío Sam en su águila cabalga...
tú acaricias de tu cóndor las alas
y afilas en la piedra el cuchillo y la azada;

porque una noche sueñas en la Vía Láctea
y otra noche en la res que en la pampa destazas...
que no en vano nos vienes de Quijote y de Panza.

---

* *Sonetos sinfónicos*, 1914.

Juan B. Huyke

*Plegaria**

Para Antonio Pérez-Pierret

Señor, tú estás en casa. Te siento dondequiera.
La soledad me deja gozar tu compañía.
Haz, Señor, que conserve esta dulce y sincera
Fe, porque es la fuente de mi ingenua alegría.

Señor, vives en mí. Te siento en mis amores
Que a los que me combaten alcanzan con su fuego.
Que no se entibien nunca los aureos resplandores
de esta luz que me abrasa. Señor, yo te lo ruego.

Señor, riges mi vida. Mis pasos tú señalas,
Veo ante mí una senda y por ella camino.
Para volar has puesto en mi espíritu alas
Y lo insondable ahondo, buscando mi destino.

Señor, tú me acompañas en mi dormir profundo
Y lo sé porque siento tu divina presencia
Cual si tú me llevaras de mano por el mundo
Mostrándome el misterio de la humana existencia.

Señor, llena mi vida con la luz de tu vida.
Está abierto mi espíritu para la comunión.
Haz que encuentren los hombres esta senda escondida
Escondida en el fondo de todo corazón.

Idearium, San Juan, Puerto Rico, Año I, Núm. 8, marzo de 1918, p. 25.

Evaristo Ribera Chevremont

Tu verso*

A Antonio Pérez-Pierret

Tu verso tiene vivos fulgores de coraza
Penetra como estoque tu verso de oro y fuego;
Destroza los escudos cual formidable maza,
Y grita una blasfemia, ya exhala un blando ruego.

Tu verso en el zafiro del firmamento traza
la inmaterial figura del ínclito Manchego;
Tu verso forja el bronce glorioso de la Raza,
y cual olor de flores, se desvanece luego.

Tu verso es exultante, medioeval, semi-bárbaro;
Traspone las alturas con un impulso bárbaro
O ambula por la roja llanura desolada.

Evoca a Dulcinea desde su encantamiento,
Y... ante las aspas de un molino de viento
La recta sorprendente de una febril lanzada.

Revista Antillas, San Juan, Puerto Rico, Año I, agosto de 1913.

Francisco Garriga

*Adiós**

A Antonio Pérez-Pierret

Antonio, noble hermano, yo soy un ignorante,
y quiero que me digas qué mano tan amante
te trajo a mi rincón.
Esta mano ignoraba que me encuentro distante
para oír cómo late tu blando corazón.

Me has hablado de cosas levemente sentidas...
De tristezas que yacen hace tiempo dormidas...
Y de un presentimiento...
Y todo en una lengua tan propia, tan traída...
que a veces, escuchando tus relatos me siento
¡cual sí hubiese en mi pecho penetrado la vida!

Mi Musa desconoce tu lado sensitivo;
y no es porque no sienta, ¡que ella siente de veras!
Sino porque tu verso todo fragante y vivo
Tiene el cuerpo de bronce y el ánima ligera...

Antonio, noble hermano, si te ausentas muy lejos,
Dale siempre a mi oído tu balsámica voz,
y a mi Musa intranquila dale aquellos consejos
que tú sabes... Adiós...

**Puerto Rico Ilustrado*, San Juan, Puerto Rico, 24 de marzo de 1917.

José de Jesús Esteves

*Contrición**

Para Antonio Pérez-Pierret

Polvorosa quietud de las aldeas;
Silencio de las hondas perspectivas
En donde se entumecen las ideas
y se amodorran las iniciativas.

Albas, gritos de sol, tardes laudeas
Y noches de luceros pensativas;
Horas salubres como panaceas
Como manos de madre, sedativas...

Bíblica ingenuidad de los paisajes
Donde espacian sus cándidos mirajes
los ensueños del alma rusticana.

¡Qué pena os debe dar el alma mía
Que llevo a la cuidad su lozanía
Y que ya no parece vuestra hermana!

Revista Antillas, San Juan, Puerto Rico, Año II, Núm 2, abril de 1914, p. 37.

Luis Palés Matos

Fuego infantil*

A Antonio Pérez-Pierret

La abuela de los ojos apagados,
nos narraba en las noches de velada,
lances de caballeros, embriagados
de romance, de novias y de espada.

Y cuentos de palacios encantados
bajo la vara mágica de un hada;
Diabólicos, de monstruos espantados,
divinos, de princesa sonrosada.

Y una noche de rayos y de truenos,
su hueca voz llena de ritmos buenos
en lenta gradación se iba extinguiendo...

El perro aulló. "¡Tan!" dijo la campana,
una ráfaga entró por la persiana,
¡y la abuelita se quedó durmiendo!

La Democracia, San Juan, Puerto Rico, 23 de abril de 1915, p. 8.

Bibliografía

Astol, Eugenio, "Antonio Pérez-Pierret", *Puerto Rico Ilustrado*. San Juan, Puerto Rico, 6 de julio de 1940, pp. 18-19.

Cabrera, Manrique F. "Antonio Pérez-Pierret", *Historia puertorriqueña*. Nueva York, 1956, p. 240.

Diez de Andino, Juan. "Recordando al poeta", *El Mundo*. San Juan, Puerto Rico, 11 de enero de 1958, p. 25.

El Mundo, "Nota de duelo, Don Antonio Pérez-Pierret". San Juan, Puerto Rico, 16 de enero de 1937, p. 10.

Ferrer, Rafael. "Perfiles: Antonio Pérez-Pierret". *Revista de Las Antillas*, San Juan, Puerto Rico, agosto de 1914, pp. 65-67.

Ferrer, Rafael. "Aniversario de un gran poeta puertorriqueño", *Florete*. San Juan, Puerto Rico, 15 de enero de 1944, p. 25.

Franco Oppenheimer, Félix. "Antonio Pérez-Pierret", *Antología*. San Juan, Puerto Rico, Ateneo Puertorriqueño, 1959.

Guerra-Mondragón, Miguel. "El poeta", *Bronces*. San Juan, Puerto Rico, Editorial Antillana, 1914, pp. ix-xxiv.

Guerra-Mondragón, Miguel. "El poeta: Antonio Pérez-Pierret", *Asomante*. San Juan, Puerto Rico, julio de 1952, pp. 53-64.

Laguerre, Enrique. "La poesía modernista". Disertación inédita, Universidad de Puerto Rico, Río Piedras, Puerto Rico, mayo de 1941, pp. 72-76.

Medrano, Higinio. "Libros y autores: *Bronces*", *Revista de Las Antillas*. San Juan, Puerto Rico, octubre de 1914, pp. 47-49.

Nolasco, Sócrates. "Antonio Pérez-Pierret", *Escritores de Puerto Rico*. Cuba, 1953, pp. 25-43.

Real, Romualdo. "La tristeza del retorno", *El Mundo*. San Juan, Puerto Rico, 31 de enero de 1937, p. 8.

Ribera Chevremont, Evaristo. "Un homenaje sencillo", *El Mundo*. San Juan, Puerto Rico, enero de 1940.

Ribera Chevremont, Evaristo. "Las golondrinas del cementerio", *El Mundo*. San Juan, Puerto Rico, 9 de noviembre de 1939.

Rivera de Álvarez, Josefina. *Diccionario de Literatura Puertorriqueña*. Río Piedras, Puerto Rico, Ediciones de La Torre, Universidad de Puerto Rico, 1955.

Rosa Nieves, Cesáreo. "Antonio Peréz-Pierret", *Aguinaldo Lírico de la Poesía Puertorriqueña*. San Juan, Puerto Rico, 1957, pp. 203-213.